MATISSE

la période niçoise

917-1929

En couverture
Henri Matisse, *Odalisque à la culotte grise*, 1927
Paris, musée national de l'Orangerie
(cat. 19)

ISBN 2-7118-4653-9

musée des Beaux-Arts de Nantes
7 mars - 2 juin 2003

MATISSE
la période niçoise
1917-1929

Réunion des Musées Nationaux

Cet ouvrage a été publié à l'occasion de l'exposition
Matisse, la période niçoise 1917-1929
présentée au musée des Beaux-Arts de Nantes
du 7 mars au 2 juin 2003.

L'exposition est placée sous le haut patronage
de Monsieur Jean-Marc Ayrault, député-maire de Nantes,
Monsieur Yannick Guin, adjoint au maire, chargé de la culture.
Elle a été réalisée par la Ville de Nantes avec le concours
du ministère de la Culture et de la Communication –
Direction régionale des Affaires culturelles des Pays de la Loire.

Commissariat général de l'exposition
Guy Tosatto
Directeur du musée de Grenoble

Commissariat
Vincent Rousseau
Conservateur
Céline Rincé-Vaslin
Assistante de conservation

Administration
Yves Papin
Directeur administratif
Marie-Claude Mornon
Rédacteur chef

Conception et réalisation muséographiques
Sylvie Jullien
Architecte B.A.T.I. Ville de Nantes
Patrice Villette
Technicien projeteur B.A.T.I. Ville de Nantes
Christophe Lucas et le personnel de l'atelier municipal
Thierry Le Dinahet et l'équipe technique
du musée des Beaux-Arts

Actions culturelle et pédagogique
Rosemarie Martin
Attachée de conservation
Christophe Cesbron
Attaché de conservation

Communication
Dominique David, Véronique Triger, Pierre Grouhel
et Anttar Tehami

Nous remercions particulièrement Christine Jéquel
et Michèle Hornn, du musée national de l'Orangerie,
pour leur accueil et leur disponibilité ; Cédric Pageau,
stagiaire au musée des Beaux-Arts de Nantes ; les archives
Matisse, pour leur collaboration.

Sommaire

Note de l'éditeur :
Les numéros de catalogue suivis d'un astérisque désignent les œuvres non exposées.

« Il faut travailler chaque jour à heures fixes. Il faut travailler comme un ouvrier. Aucune personne ayant fait un travail qui vaille la peine n'a agi autrement. J'ai travaillé toute ma vie la journée entière. »

Henri Matisse cité par Russell Warren Howe, « Half-an-hour with Henri Matisse », *Apollo,* février 1949, repris dans Dominique Fourcade, *Henri Matisse : écrits et propos sur l'art*, Paris, Hermann, 1992.

Henri Matisse, 1922.
Photographie : Man Ray.

Avant-propos

Jean-Marc Ayrault
député-maire de Nantes

Après avoir accueilli Picasso en 2002, le musée des Beaux-Arts de Nantes montre son intérêt pour une autre figure majeure du XXe siècle : Matisse. Il porte très précisément son attention sur ce que les historiens de l'art appellent : « la période niçoise : les années 1917-1929 ».

Ce n'est pas la première fois que le musée des Beaux-Arts présente ce grand maître de l'art moderne. En 1988, il avait exposé un important ensemble de dessins du musée Matisse de Nice, choisis pour témoigner graphiquement des principaux moments de la carrière de l'artiste.

Cette fois, l'accent est très spécifiquement mis sur la production picturale d'une dizaine d'années. Il est certain que cette exposition permettra de reconsidérer cette période dans l'œuvre de Matisse et suscitera le plus vif intérêt.

Cette manifestation est un témoignage des excellentes relations que le musée des Beaux-Arts de la Ville de Nantes entretient depuis toujours avec les établissements placés sous la responsabilité de l'État. Un des fleurons de ses collections, le tableau de Monet, *Nymphéas à Giverny*, avait participé en 1999 à la grande exposition consacrée au maître impressionniste qui s'était tenue au musée de l'Orangerie, avant que celui-ci ne ferme ses portes pour s'engager dans un grand chantier de restructuration. À l'occasion de la réouverture de cette institution en 2005, le musée des Beaux-Arts de Nantes prêtera deux œuvres de Georges de La Tour, *Le Songe de Saint Joseph* et *Le Joueur de vieille* pour la manifestation qui commémorera l'exposition *Les Peintres de la réalité*, présentée en 1934 à l'Orangerie.

C'est Guy Tosatto, alors directeur du musée des Beaux-Arts, qui eut l'idée d'inviter Matisse à Nantes. Qu'il en soit chaleureusement remercié. Son initiative reçut le soutien bienveillant de Pierre Georgel, directeur du musée national de l'Orangerie, qui consentit le prêt de dix tableaux de la prestigieuse collection Walter-Guillaume. Nous lui exprimons notre profonde gratitude ainsi qu'à Francine Mariani-Ducray, directrice des Musées de France sans l'approbation compréhensive de laquelle ce projet n'aurait pas vu le jour.

Nos remerciements s'adressent aussi très sincèrement à tous les responsables d'institutions qui ont contribué à enrichir cette exposition : Dominique Szymusiak, conservatrice du musée Matisse du Cateau-Cambrésis ; Marie-Thérèse Pulvénis de Séligny, conservatrice du musée Matisse de Nice ; Alfred Pacquement, directeur du Musée national d'art moderne ; Matthias Frehner, directeur du musée des Beaux-Arts de Berne ; Bernhard Mendes Bürgi, directeur du musée des Beaux-Arts de Bâle ; Jean-Paul Monery, directeur de l'Annonciade, musée de Saint-Tropez.

Paul Guillaume dans son appartement-galerie, 16, avenue de Villiers, en 1916.
Photographie : collection Cruz-Altounian.

Matisse à la galerie Paul Guillaume

Colette Giraudon

« L'enthousiasme de Paul Guillaume pour Matisse vient de ce que le peintre introduit l'Orient par l'espace libre, et qu'il fait triompher la peinture absolue, vibrer la polychromie, oublier le moment. Matisse qui évite l'effusion du cœur mais s'adresse à l'intelligence par l'œil tout seul, éliminant la vie réelle, a tout pour séduire le collectionneur qui ne veut jamais être conquis sentimentalement comme une midinette. Les toiles choisies seront comme des vitraux éclatants, non des confidences[1]. »

Mais Henri Matisse ne faisait pas partie de l'entourage de Guillaume Apollinaire dont Paul Guillaume était l'homme lige et qui a favorisé sa rencontre avec Picasso dès 1912, autour de leur passion commune, l'art africain : « J'apprends par Monsieur Apollinaire que vous vous intéressez à mes statues nègres[2]. » Ils avaient le même âge, des amis communs et les relations entre les deux hommes devinrent naturellement amicales. Sa présentation à Matisse est beaucoup plus tardive, sans que l'on puisse toutefois en préciser les circonstances. La fille de Matisse, Marguerite, a conté comment, le 14 mars 1916, au vernissage du Salon Noir et Blanc organisé par Mme Bongard dans ses ateliers de couture de la rue de Penthièvre, Paul Guillaume, l'un des habitués, s'avança vers elle et se présenta : « Paul Guillaume, secrétaire de Max[3]. » L'ironie derrière laquelle se cachait Paul Guillaume, ami de Max Jacob, révèle, dans tous les cas, qu'il ne cherchait pas à se positionner comme marchand. Marguerite exposait en même temps que son père chez Mme Bongard comme au célèbre Salon d'Antin (16-31 juillet 1916) et connaissait la galerie Paul Guillaume, située non loin de là.

Ce que, de même, personne n'ignorait, c'est que, depuis 1909, Henri Matisse avait signé un contrat triennal qui l'engageait à donner aux galeries Bernheim-Jeune la totalité de sa production, limitée aux formats courants (de 6 à 50 figures). Si le nom d'Henri Matisse ne figure pas dans les transactions réalisées par Paul Guillaume, il est indéniable qu'engagé chez Bernheim-Jeune, courtisé par Léonce Rosenberg, l'artiste, alors âgé de 47 ans, possède une cote trop élevée pour le jeune marchand dont la première galerie n'a ouvert ses portes qu'en 1914.

Depuis le début de la guerre, les artistes d'avant-garde comme Matisse et Picasso ne voulaient pas, au moment où leurs amis artistes étaient sous les drapeaux, donner l'impression de n'exposer qu'à l'étranger,

1 Jean Bouret, « L'éblouissante collection Walter », *Réalités*, n° 239, décembre 1965.

2 Lettre de Paul Guillaume à Picasso, adressée au 11, boulevard de Clichy, où l'artiste a logé et travaillé jusqu'en septembre 1912 (Paris, archives Picasso).

3 Narration faite à Mme Wanda de Guébriant, et rapportée par Pierre Schneider, *Matisse*, Paris, Flammarion, 1984, p. 735.

GALERIE PAUL GUILLAUME

PARIS, 6, rue Miromesnil (près l'Elysée)

TABLEAUX MODERNES

ŒUVRES DE :

Francis Picabia. — Giorgio de Chirico.
Pierre Roy. — Madeleine Berly.
Robert Lotiron, etc.

SCULPTURES NÈGRES

EXPOSITION PERMANENTE

ŒUVRES DE
ANDRÉ DERAIN, HENRI MATISSE, PICASSO, CÉZANNE, MODIGLIANI, CHIRICO

Sculptures Nègres *

GALERIE PAUL GUILLAUME, 16, avenue de Villiers, Paris

* Un ouvrage " *Le Premier Album de Sculptures Nègres* " a paru dont il reste encore quelques exemplaires au prix de 50 francs. Tirage limité à 60 ex. (Chez Paul Guillaume)

Insertion publicitaire dans *Les Soirées de Paris*, 1914.

Insertion publicitaire dans *Nord-Sud*, n° 3, 15 mai 1917.

loin du désordre de la guerre[4] ; aussi répondaient-ils, l'un et l'autre avec beaucoup de générosité, aux multiples manifestations individuelles qui se présentaient. Ainsi, Moïse Kisling, se chargeant des prêts pour une exposition de l'association Lyre et Palette[5], sollicite de Matisse une *Nature morte aux citrons* (non mentionnée dans le catalogue) et un dessin ; André Salmon, organisateur du Salon d'Antin, lui emprunte deux peintures et un dessin. Quant à Mme Bongard, en novembre 1915, elle lui demande un dessin qu'elle expose avec une toile qui lui a été prêtée par ailleurs, pour une exposition de groupe dont le bénéfice est consacré aux familles des artistes au front. Paul Guillaume est présent à toutes ces expositions, souvent en qualité de prêteur et son goût pour l'œuvre de l'artiste s'est probablement développé lors de ces occasions.

Cependant, c'est un an plus tard que l'intérêt du marchand se porte sur Matisse. À partir du 21 février 1917, en effet, on peut noter un changement dans la politique des choix de sa galerie. Paul Guillaume avait pris l'habitude, depuis 1914, de publier des encarts publicitaires dans la presse littéraire et artistique, à commencer par *Les Soirées de Paris,* puis *Sic* et *Nord-Sud*, pour rechercher des œuvres d'art à vendre. Quoique peu fortuné à l'époque, il venait ainsi en aide, grâce à ses participations financières, aux amis écrivains qui dirigeaient des revues d'avant-garde. Les mêmes insertions paraissaient dans *La Gazette de l'hôtel Drouot*. Or, à partir du 21 février 1917, il modifie leur libellé et le nom de Matisse apparaît aux côtés de celui de Picasso, Derain ou Utrillo. Ces petites annonces marquent le choix d'une nouvelle orientation, car le 27 octobre 1917, il s'installe 108, faubourg Saint-Honoré et le 17 décembre, on peut lire dans *L'Éventail* : « Monsieur Paul Guillaume nous invite à contempler d'admirables portraits signés Matisse[6]. » Dès lors, la présence des œuvres de Matisse sur les cimaises de la galerie Paul Guillaume s'impose régulièrement.

4 Juan Gris rapporte cet argument de Picasso valable de même pour Matisse dans une lettre à Léonce Rosenberg du 15 juin 1916 (Paris, archives de la documentation du Musée national d'art moderne).

5 6, rue Huyghens, à Montparnasse, du 19 novembre au 5 décembre 1916.

6 *L'Éventail*, 15 décembre 1917.

Qui eut l'idée audacieuse de rassembler dans une exposition unique Matisse et Picasso ? Est-ce l'idée contenue dans la phrase sibylline d'un court billet non daté, que Guillaume Apollinaire adresse fin 1917 à Paul Guillaume : « Je vous répète que j'ai une idée à vous donner lucrative et excellente publicité pour vous[7] » ? Quoi qu'il en soit, le délai est fort court pour rassembler un ensemble cohérent de peintures, d'autant plus que Guillaume Apollinaire est à nouveau hospitalisé dès le 1er janvier 1918 pour soigner une congestion pulmonaire qui le tiendra à l'écart pendant trois mois. Paul Guillaume n'abandonne pas le projet pour autant et Apollinaire, malgré sa maladie, rédige un texte sur Matisse et Picasso qui fait sensation et sera partiellement repris par une presse abondante. Les deux textes d'Apollinaire et la liste des œuvres – incomplète en ce qui concerne Matisse – forment le catalogue, vendu deux francs en faveur des mutilés de guerre. C'est l'argument que Paul Guillaume avance dans une lettre à Matisse pour obtenir son accord, accompagné de prêts éventuels[8]. Anne Baldassari, co-commissaire de l'exposition *Matisse Picasso* (Paris, Galeries nationales du Grand Palais, 2002) a clairement établi une possibilité d'identification des œuvres exposées, dans l'état actuel des recherches[9], aussi ne m'y attarderai-je pas. Parmi les prêts de peintures, un petit nombre est consenti par les artistes eux-mêmes ; la majorité des Matisse provient des réserves de la galerie Bernheim-Jeune et une institution accepte de participer puisque *L'Algérienne* peinte en 1909 par Matisse vient d'être donnée au musée du Luxembourg par la veuve de son précédent propriétaire. Joss Hessel, de son côté, en liaison étroite d'affaires avec Paul Guillaume, lui a confié le triptyque des *Trois Sœurs* qui va, après bien des aventures, être dispersé, puis reconstitué pour être vendu à la Fondation Barnes à la fin des années 1920. L'exposition se déroule entre le 23 janvier et le 15 février 1918. À cette occasion, Paul Guillaume crée une revue de galerie, *Les Arts à Paris*, qui, en vingt et un numéros, marquera les moments forts de sa galerie, de son aventure de marchand et de collectionneur. Des affiches annoncent l'exposition dans tout Paris et une foule abondante et choisie assiste à l'inauguration, mais les deux protagonistes de la manifestation, Matisse et Picasso, sont absents. Se sont-ils donné le mot ? Matisse s'installe à Nice le 20 décembre 1917 et ne revient travailler à Paris qu'au début de juillet 1918. Quant à sa famille à Paris, madame Matisse et sa fille Marguerite, elles n'ont pas reçu à temps les cartons que Paul Guillaume avait fait livrer chez elles par coursier spécial[10]. Picasso, on le sait, n'aimait pas les mondanités et n'assistait que rarement aux vernissages. Guillaume Apollinaire, pour sa part, n'est pas en état de se déplacer, mais il écrit dans un court billet : « Je me lève mais ne sors pas encore. J'espère cependant pouvoir sortir à temps pour aller voir l'exposition Matisse Picasso avant qu'elle ne soit terminée[11]. »

7 Jean Bouret, « Une amitié esthétique au début du siècle. Apollinaire et Paul Guillaume (1911-1918) d'après une correspondance inédite », *Gazette des Beaux-Arts*, décembre 1970, p. 390.

8 Lettre de Paul Guillaume à Matisse, 16 janvier 1918, Paris, archives Matisse.

9 Étienne-Alain Hubert et Jack Flam contribuèrent par leurs recherches à l'établissement de ce descriptif, avec la participation de Wanda de Guébriant, responsable des archives Matisse à Paris. Voir l'édition française du catalogue de l'exposition *Matisse Picasso*, Paris, Réunion des musées nationaux/Centre national d'Art et de Culture Georges Pompidou/Musée national d'art moderne, 2002, p. 361, 362.

10 Lettre de Paul Guillaume à Mme Matisse, 24 janvier 1918, Paris, archives Matisse.

11 Voir Jean Bouret, *op. cit.*, p. 393.

Les deux artistes ont été fort mécontents de la publicité tapageuse faite autour de leur nom en cette période de guerre. Plusieurs lettres furent nécessaires pour que le marchand puisse les convaincre du bien-fondé de son entreprise. La précipitation aggrava bien des malentendus, mais il faut croire qu'ils ne lui en tinrent pas rigueur.

En effet, dans le cadre de l'exposition *Peintres d'aujourd'hui* qui se tient du 15 au 23 décembre 1918 à la galerie Paul Guillaume, on peut admirer, au milieu d'une quarantaine de peintures, quatre nouveaux Matisse et trois Picasso. La presse est plus élogieuse qu'en janvier et des critiques comme l'artiste Roger Bissière, qui semblait ne pas apprécier la politique de la galerie, ont l'air d'avoir baissé la garde : « Le choix est heureux et on aimerait voir souvent réunis en même lieu, des ensembles aussi importants[12]. » La revue de presse de l'exposition paraît dans le n° 4 des *Arts à Paris*, le 15 mai 1919 ; Paul Guillaume, sensible aux mondanités, dresse la liste des personnalités présentes au vernissage et si la famille Matisse est à nouveau absente, on peut constater toutefois la présence de Picasso.

Couvertures des *Arts à Paris*.
Photographie : Laurent Lecat

Matisse devient le faire-valoir, à son insu, de la galerie Paul Guillaume

Matisse devient alors le flambeau de la galerie Paul Guillaume. À des fins publicitaires, ce dernier adresse à la revue musicale italienne *Ars Nova* la photo des *Trois Sœurs à la table de marbre rose*, un des éléments du fameux triptyque qu'il venait d'acquérir, afin qu'elle soit publiée dans le n° 4-5 de février-mars 1919 avec la légende : « *Jeunes Filles*, collection Paul Guillaume, Paris. » En contrepartie, il rédige trois lignes d'éloge sur cette revue dans le n° 4 des *Arts à Paris*. En novembre-décembre 1919, il prête trois peintures dont cette dernière à une exposition qui ouvre à Londres, aux Leicester Galleries, *Exhibition of Pictures by Henri Matisse and Sculpture by Maillol*. La préface reprend un extrait du texte d'Apollinaire sur Matisse qu'il a rédigé pour l'exposition *Matisse Picasso*. Les peintures de Matisse ne mettent pas particulièrement en valeur les sculptures de Maillol, des petits formats de cire, et, en dépit de la grande taille des *Trois Sœurs à la table de marbre rose*, les salles paraissent vides ; c'est, du moins, l'une des rares tentatives pour introduire l'art d'avant-garde du continent en Grande-Bretagne[13].

Le contrat de Matisse avec la galerie Bernheim-Jeune est réévalué en 1917 et l'artiste obtient de garder la moitié de sa production, la galerie se réservant le droit de photographier l'ensemble. Léonce Rosenberg, pour sa galerie L'Effort moderne, Paul Rosenberg pour la sienne, poursuivent leurs achats, à présent dans tous les formats, mais Paul Guillaume n'occupe qu'une petite place au milieu de galeries aussi importantes qui bénéficient, auprès des artistes, de la confiance due à leur ancienneté ; il s'efforce

12 *Paris-Midi*, mardi 7 janvier 1919.

13 Oliver Brown, *Exhibitions : the Memoirs of Oliver Brown of the Leicester Galleries*, Londres, 1966, p. 65-66.

néanmoins d'apparaître comme un digne concurrent par des achats de seconde main. En mai 1920, il sollicite à nouveau Matisse pour obtenir « des œuvres inédites » qu'il souhaite présenter dans une exposition phare de la galerie Devambez, en mai 1920. Il s'agit d'œuvres d'artistes qui ont marqué les vingt premières années du siècle et Paul Guillaume prévoit de faire appel, de même, aux prêts de ses confrères et de présenter les trois peintures exposées à Londres.

1923 est la date du retour, dans le Paris de l'après-guerre, du grand collectionneur américain, le docteur Barnes. Paul Guillaume offre sa galerie pour y présenter les dernières acquisitions du collectionneur et Matisse y occupe une place de choix. Ces œuvres seront exposées ensuite à l'Académie des beaux-arts de Pennsylvanie, à Philadelphie, avant d'être installées à la Fondation : « Cette collection a été formée par M. Barnes, grand industriel américain, pour être offerte à la Ville de Merion, aux États-Unis, afin de constituer un musée bâti à ses frais. M. Paul Guillaume est le Secrétaire pour l'Europe de cette Fondation[14]. »

Comment Paul Guillaume devint collectionneur de Matisse

Caricature de Paul Guillaume par César Abin, 1932. Collection Claude Bernès.

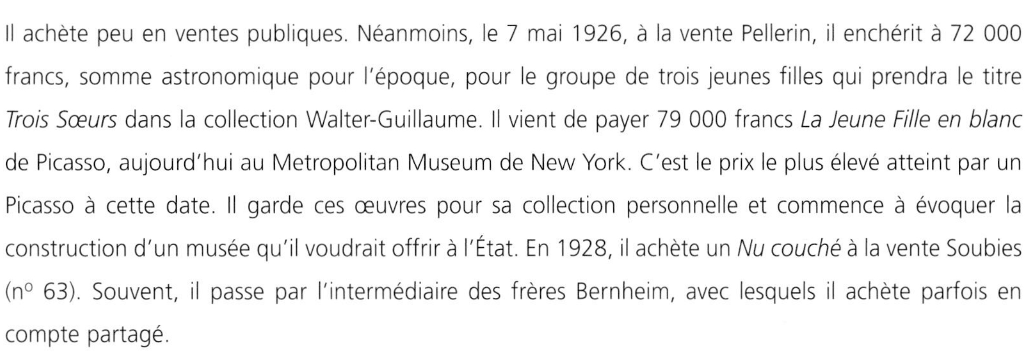

Il achète peu en ventes publiques. Néanmoins, le 7 mai 1926, à la vente Pellerin, il enchérit à 72 000 francs, somme astronomique pour l'époque, pour le groupe de trois jeunes filles qui prendra le titre *Trois Sœurs* dans la collection Walter-Guillaume. Il vient de payer 79 000 francs *La Jeune Fille en blanc* de Picasso, aujourd'hui au Metropolitan Museum de New York. C'est le prix le plus élevé atteint par un Picasso à cette date. Il garde ces œuvres pour sa collection personnelle et commence à évoquer la construction d'un musée qu'il voudrait offrir à l'État. En 1928, il achète un *Nu couché* à la vente Soubies (n° 63). Souvent, il passe par l'intermédiaire des frères Bernheim, avec lesquels il achète parfois en compte partagé.

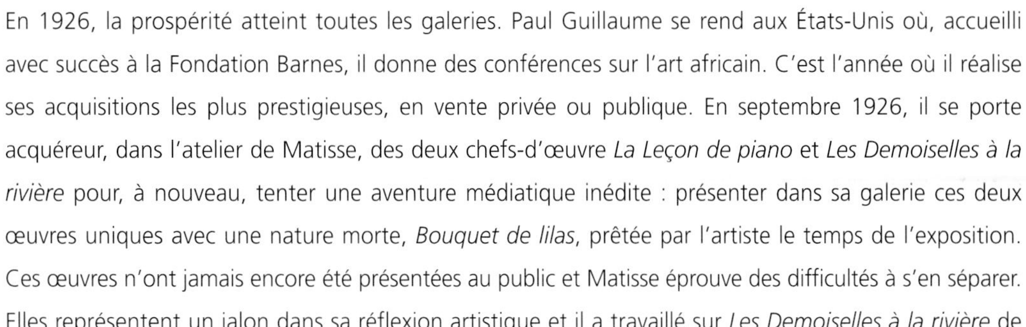

En 1926, la prospérité atteint toutes les galeries. Paul Guillaume se rend aux États-Unis où, accueilli avec succès à la Fondation Barnes, il donne des conférences sur l'art africain. C'est l'année où il réalise ses acquisitions les plus prestigieuses, en vente privée ou publique. En septembre 1926, il se porte acquéreur, dans l'atelier de Matisse, des deux chefs-d'œuvre *La Leçon de piano* et *Les Demoiselles à la rivière* pour, à nouveau, tenter une aventure médiatique inédite : présenter dans sa galerie ces deux œuvres uniques avec une nature morte, *Bouquet de lilas*, prêtée par l'artiste le temps de l'exposition. Ces œuvres n'ont jamais encore été présentées au public et Matisse éprouve des difficultés à s'en séparer. Elles représentent un jalon dans sa réflexion artistique et il a travaillé sur *Les Demoiselles à la rivière* de

14 *Gazette de l'hôtel Drouot*, jeudi 1er février 1923.

nombreuses années. Paul Guillaume est soutenu dans cette entreprise par Georges Duthuit, byzantiniste confirmé, admirateur de Matisse depuis l'âge de vingt ans et qui a épousé sa fille, Marguerite, en 1923. Ce dernier prépare une conférence pour le jour du vernissage. Le parterre est choisi, comme d'habitude, ce qui ne manque pas de flatter le conférencier. Matisse, qui n'a pas quitté Nice, est mécontent de la conférence, dont son gendre lui a adressé copie et qui semble banaliser le dépouillement si nouveau et subversif de ces œuvres. Georges Duthuit tente d'écrire sur l'artiste, ce qu'il ne s'est jamais permis de faire auparavant. Il propose à Paul Guillaume de publier la conférence. Ce dernier le renvoie vers Christian Zervos, qui a créé *Cahiers d'Art* en 1925, et qui, sans répondre précisément à ce souhait, accepte un de ses textes, dans le n° 7, celui de mai 1926, qu'il consacre à Matisse. Georges Duthuit informe Matisse qu'il envisage d'écrire un livre illustré par les photos de Bernheim-Jeune et qu'il en propose la publication à Paul Guillaume. Ce dernier, avec sa courtoisie habituelle, ne refuse pas sur-le-champ : « Cela ne m'intéresserait pas pour Picasso, m'a-t-il dit, mais Matisse, c'est ma tendance et je serai fier d'avoir mon nom sur la couverture du livre[15]. » Mais le livre ne verra jamais le jour et Georges Duthuit, fidèle à la volonté du maître, n'écrira plus une ligne sur Matisse.

En 1928, Paul Guillaume a pratiquement acheté toutes les œuvres qu'il réserve à son musée, installé avenue de Messine ; seul l'ensemble des Matisse sera augmenté. En 1929, dans les salons prestigieux de la galerie Bernheim-Jeune, il présente de manière spectaculaire sa collection particulière : 126 œuvres, dont 19 Matisse. Cette manifestation est organisée au profit de la Société des amis du Luxembourg. Elle ouvre le 26 mai et, le 4 juin, Albert Sarraut donne une conférence, « Variations sur la peinture contemporaine ». À cette occasion, Paul Guillaume commande à Waldemar George la rédaction d'un catalogue, dont un seul des deux volumes envisagés, *La Grande Peinture contemporaine à la collection Paul Guillaume*, paraîtra. La presse est abondante jusqu'au jour de fermeture.

Paul Guillaume poursuit l'achat des Matisse pour sa collection privée. En effet, lorsque les galeries Georges Petit décident en 1931, pour leur inauguration, d'organiser une grande exposition sur l'artiste, Paul Guillaume, informé de ce projet, écrit à Matisse qu'il possède vingt-cinq œuvres, dont trois sculptures, et qu'il pourrait les prêter à l'exposition à condition qu'elles soient réunies en une même salle : « La collection considérée comme unité se diluerait dans un ensemble et le profit que pourrait y trouver celui-ci ne compenserait pas la dépréciation que risquerait d'éprouver celle-là[16]. » À la lecture du catalogue de l'exposition, qui comporte 142 numéros, quatre peintures de la collection Paul Guillaume sont signalées : Matisse a résisté au chantage du collectionneur. Cette exposition, qui se déroule du 16 juin au 25 juillet 1931 à Paris, se poursuit à la Kunsthalle de Bâle du 9 août au 15 septembre. Les prêts diffèrent quelque peu et Paul Guillaume est représenté par six peintures, mais il fait partie du comité d'honneur de l'exposition.

15 Georges Duthuit, *Écrits sur Matisse*, Paris, École nationale supérieure des beaux-arts, 1992, p. 250.

16 Je remercie Mme Wanda de Guébriant de m'avoir facilité l'accès à la correspondance de Paul Guillaume et Matisse.

La salle à manger de Paul Guillaume, avenue de Messine. Au fond, Matisse, *Les Demoiselles à la rivière*.

Présentation de la collection de Paul Guillaume à la galerie Bernheim-Jeune. À droite, Matisse, *La Leçon de piano*.

Les relations entre les deux hommes sont, en vérité, très fluctuantes. Matisse passe la plus grande partie de l'année à Nice, tout en gardant ses ateliers d'Issy-les-Moulineaux et du quai Saint-Michel à Paris, où il séjourne une partie de l'été. Et, ainsi éloigné de Paris, il est d'autant plus rigide et méfiant qu'il est tributaire des commentaires de sa famille et de ses amis artistes, sans être un témoin direct de la vie artistique parisienne. Paul Guillaume se déplace plusieurs fois pour lui rendre visite à Nice. Leur correspondance témoigne de ces rencontres. Elle témoigne aussi du besoin que le collectionneur et marchand éprouve de s'imprégner des nouvelles créations de l'artiste et d'en discuter avec lui. Il lui demande de le prévenir dès son arrivée à Paris pour connaître ses dernières peintures avant qu'elles ne soient dispersées chez d'éventuels acquéreurs. Il reproche souvent à l'artiste de ne pas l'informer de ce qu'il a à vendre, des expositions à venir et de ne jamais lui accorder les faveurs que l'on donne à un collectionneur estimé. En vérité, Matisse supporte difficilement l'attitude devenue emphatique du marchand. De plus, Paul Guillaume semble avoir été victime de ses projets grandioses. Il vend son hôtel musée de l'avenue de Messine en 1932 sans prendre de précautions particulières quant à la destinée de sa collection. On comprend que sa mort en 1934, à l'âge de 42 ans, ait interrompu brutalement son activité, sans qu'il ait eu le temps de donner un statut quelconque à cette collection. Dès lors, sa veuve marque la collection de son empreinte en infléchissant son orientation vers des artistes de la génération impressionniste. C'est ainsi que des vingt-cinq Matisse de la collection, il ne va en rester que dix, formant un ensemble à peu près unique d'œuvres de la période de Nice, avec des toiles s'échelonnant sur dix années, à l'exception des *Trois Sœurs*, réalisée par l'artiste à Paris, quelques mois avant son départ sur la Côte d'Azur.

Au-delà des odalisques

Vincent Rousseau

Les quelque vingt œuvres réunies à Nantes, exécutées au cours de ce qu'il est convenu d'appeler la « période niçoise » de Matisse, offrent l'occasion de revoir ce que fut la production de l'un des plus grands artistes du XXe siècle entre 1917 et 1929, sans prétendre toutefois instruire définitivement le dossier d'une période sur laquelle les historiens s'interrogent encore. Ces derniers, en dépit de l'indéniable succès que connut alors Matisse, négligèrent en effet longtemps ces années qu'ils considéraient presque comme une parenthèse, voire un accident dans la carrière de l'artiste. Ils prenaient ainsi le relais de ceux qui, parmi ses premiers défenseurs, avaient très vivement fait savoir qu'ils désapprouvaient son évolution.

En 1919, Jean Cocteau avait sévèrement jugé son exposition chez Bernheim-Jeune : « Voici le fauve ensoleillé devenu un petit chat de Bonnard... Matisse doute, tâtonne, hésite, au lieu d'approfondir sa découverte[1]. » En 1922, Marcel Sembat, qui avait été l'un de ses meilleurs avocats, désavouait désormais son attirance pour « le gracieux, la clarté douce, sans heurt ni rien qui choque[2] ». Citons encore André Breton qui, en 1926, traitait Matisse et Derain de « vieux lions décourageants et découragés » : « [...] de la forêt et du désert dont ils ne gardent pas même la nostalgie ; ils sont passés à cette même arène minuscule : la reconnaissance pour ceux qui les matent et les font vivre[3]. »

On accusait, en fait, Matisse de trahison : l'artiste ne tenait pas ses promesses. Comment un esprit aussi novateur pouvait-il se soumettre au goût frivole des années folles en peignant des intérieurs intimistes ou des femmes alanguies ? On lui reprochait de rentrer dans le rang de la bonne peinture de tradition française en s'adonnant au nom de l'idéologie esthétique du « retour à l'ordre » à des exercices faciles dont il tirait matériellement profit auprès d'amateurs complaisants. L'État lui-même se serait rendu complice de cette pratique en faisant l'acquisition d'une odalisque pour le musée du Luxembourg, en 1922[4].

Aujourd'hui encore, Yve-Alain Bois, exégète de l'œuvre de Matisse, ne montre guère d'indulgence pour cette période, décelant déjà dans *La Leçon de musique*, tableau exécuté à Issy-les-Moulineaux durant l'été 1917, des « traits régressifs » annonciateurs d'un temps où l'artiste prend « congé de lui-même[5]». Pierre Daix ne partage pas cet avis : « La période de Nice de Matisse comme celle qu'on

1 Jean Cocteau, *Le Rappel à l'ordre*, Paris, Stock, 1926, p. 98-99, cité in Pierre Schneider, *Henri Matisse*, Paris, Flammarion, 1984, p. 495.

2 Marcel Sembat, lettre à Signac, 20 mars 1922, in *Matisse au musée de Grenoble*, 1975, p. 7.

3 André Breton, « Le surréalisme et la peinture », *La Révolution surréaliste*, 2, n° 6, 1er mars 1926, p. 31, in Yve-Alain Bois, *Matisse et Picasso*, Paris, Flammarion, 1999, p. 243.

4 *Odalisque à la culotte rouge*, 1921, Paris, Musée national d'art moderne.

5 Yve-Alain Bois, *op. cit.*, p. 30.

Henri Matisse peignant
Henriette Darricarrère, son modèle,
dans la pose du tableau
Liseuse au guéridon
(1921, Berne, musée des Beaux-Arts).
Photographie : Man Ray.

appelle des "Grandes Baigneuses" de Picasso ont en commun d'avoir été caricaturées en adhésions au "retour à l'ordre " qui sévit au lendemain de la Victoire [...] ni l'un ni l'autre ne songèrent à renier leur modernité, simplement à la mettre à l'épreuve des rêves d'harmonie que la paix appelle[6]. »

Les études de Pierre Schneider ou de Dominique Fourcade, notamment, nous ont aidé à relire la période niçoise[7].

Matisse ne s'est pas fixé à Nice du jour au lendemain. Au contraire, son installation dans cette ville se fit progressivement. Dans un premier temps, il n'y passa que les mois d'automne et d'hiver, revenant le reste de l'année près de Paris, à Issy-les-Moulineaux, où il avait conservé une résidence.

Il séjourna d'abord en 1917-1918 à l'hôtel Beau Rivage puis, trois saisons durant, à l'hôtel de la Méditerranée et de la Côte d'Azur. En septembre 1921, il loua un appartement au troisième étage d'un immeuble, place Charles-Félix et, à partir de 1927, il emménagea plus durablement au quatrième étage de ce même bâtiment. Sa « période niçoise » prend fin en 1929, peu avant son voyage à Tahiti.

Matisse n'est pas un théoricien. Lorsqu'il écrit ou lorsqu'il prend la parole, c'est pour analyser a posteriori l'orientation de son travail, qui ne résulte jamais de l'application d'un système ou d'un procédé, et y découvrir souvent de manière inattendue une continuité cohérente. On peut donc tenter de suivre le fil de sa quête artistique à la lueur de ses propos.

Matisse a évoqué sa découverte de la lumière en décembre 1917, lors de son séjour à l'hôtel Beau Rivage, pour expliquer son attachement à Nice : « Quand en ouvrant ma fenêtre je pensais que j'allais tous les jours avoir cette lumière devant les yeux, je ne pouvais croire en mon bonheur[8]. » Nice en hiver avait de quoi le retenir : « La plupart viennent ici pour la lumière et le pittoresque. Moi je suis du Nord. Ce qui m'a fixé, ce sont les grands effets colorés de janvier, la luminosité du jour[9]. »

Il semble que, comme à Collioure en 1914[10], Matisse ait d'abord voulu se mesurer directement à la lumière et on peut penser que l'usage qu'il fait du noir dans *Le Violoniste à la fenêtre*, ou *Intérieur au violon*, par exemple, procède littéralement de ce travail à contre-jour. Toutefois, Matisse va devoir renoncer à cette attitude : « On ne peut pas lutter avec la nature pour faire de la lumière ; il faut chercher un équivalent[11]. » Il nous enjoint, en effet, de ne pas confondre éclairage et lumière : « Autrement il n'y a qu'à mettre le soleil derrière la toile[12]. » Le peintre en a la conviction lorsqu'il loge à l'hôtel de la Méditerranée : « [...] la lumière qu'on avait à travers les persiennes ? Elle venait d'en dessous comme d'une rampe de théâtre. Tout était faux, absurde, épatant, délicieux[13]. » La pièce était éclairée de manière si étrange que Matisse eut la certitude que la lumière picturale devait être une création : « Il fallait

6 Pierre Daix, *Picasso et Matisse revisités*, Neuchâtel, Ides et Calendes, 2002, p. 137.

7 Marcellin Pleynet considère que l'on a beaucoup « glosé » sur la période niçoise. Voir Marcellin Pleynet, *Henri Matisse*, Lyon, La Manufacture, coll. « Qui êtes-vous ? », 1988, p. 152.

8 Jean Guichard-Meili, *Henri Matisse*, Paris, Fernand Hazan, 1967, p. 87-92, cité in Pierre Schneider, *op. cit.*, p. 93, note 62.

9 Propos rapportés par Bridault, 1952, in Dominique Fourcade, *Henri Matisse : écrits et propos sur l'art*, nouvelle édition revue et corrigée, Paris, Hermann, coll. « Savoir : sur l'art », 1992, p. 123.

10 *Porte-fenêtre à Collioure*, 1914, Paris, Musée national d'art moderne.

11 Georges Duthuit, *Écrits sur Matisse*, Paris, École nationale supérieure des beaux-arts, 1992, p. 297.

12 *Ibid.*, p. 297.

13 Francis Carco, *L'Ami des peintres*, Paris, Gallimard, 1953, in Fourcade, *op. cit.*, p. 123.

sortir de l'imitation, même de celle de la lumière[14]. » Le magicien va réussir son tour et inonder de soleil les chambres d'hôtel qui lui servent d'atelier. Dans bien des cas, les images sont surexposées et les couleurs paraissent lavées sous une trop longue pose. Le peintre adopte souvent une manière fluide qui ressemble à l'aquarelle. Quelques notes de couleur justement posées suffisent à donner le ton : la lumière règne partout !

Il a souvent été reproché à Matisse l'aspect inachevé de ses tableaux. Beaucoup d'œuvres, en effet, présentent des zones exemptes de couleurs. Matisse en avait tout à fait conscience : « Quand je laisse des blancs, mon blanc devient couleur. Il est coloré par réaction[15]. » Rester sur la « réserve » est, pour Matisse, une façon de sauvegarder la fraîcheur de l'émotion. Pour Matisse, « pousser » un tableau afin de le rendre plus signifiant, c'est courir le risque de le faire basculer dans un registre où il perdrait de sa grâce et de sa légèreté. « Vous allez simplifier la peinture », avait prédit Gustave Moreau à ses élèves[16]. Matisse fait partie de ceux qui ont montré qu'on peut tout dire en peu de choses. « Il faut laisser le champ libre à la rêverie du spectateur[17]. » À ceux qui désapprouvaient la liberté avec laquelle il traduisait l'anatomie de ses modèles, il répliquait : « Si j'en rencontrais de pareilles dans la rue, je me sauverais épouvanté. Avant tout je ne crée pas une femme, je fais un tableau[18]. » Reprenant à son compte une formule de Delacroix, il dira plus tard : « L'exactitude n'est pas la vérité[19]. »

Par ailleurs, Matisse ne se soucie guère de cacher ses « repentirs », faisant en quelque sorte participer le spectateur à ses recherches et à ses essais : le tracé d'une ligne, l'emplacement d'une forme... Le tableau garde ainsi en mémoire l'histoire de sa propre réalisation. Ce choix esthétique (hérité sans doute de la pratique du fusain et de l'estompe) révèle une approche profondément nouvelle de la création artistique : affirmer la transparence du processus de fabrication. Dans un même ordre d'idées, on sait que Matisse commençait alors à faire photographier les différents états d'une œuvre en cours d'exécution.

Chez Matisse, la couleur est lumière et la fenêtre, paradoxalement, est rarement source d'éclairage. Elle n'est pas non plus, à proprement parler, une « ouverture », mais un accessoire graphique du décor qui permet de rythmer une composition. Il est par conséquent aisé de comprendre que l'artiste la remplace progressivement par des substituts plastiques : un paravent aux panneaux modulables, un mur couvert de faïence ou de papier peint, des effets de tentures. Matisse aime les étoffes richement colorées, qui lui rappellent peut-être les luxueux « cachemires » que tissaient les artisans de son enfance à Bohain, dans l'Aisne[20].

Très tôt fasciné par l'Orient, Matisse a vu en 1903, au pavillon de Marsan, à Paris, une présentation d'art musulman organisée par l'Union centrale des Arts décoratifs et, en octobre 1910, il s'est rendu à Munich avec Marquet pour visiter une grande exposition consacrée à la civilisation islamique, où

14 Propos recueillis par Gaston Diehl dans *Art Présent*, nº 2, 1947 in Fourcade, *op. cit.*, p. 204.

15 Georges Duthuit, *op. cit.*, p. 296.

16 Jacques Guenne, « Entretien avec Henri Matisse », *L'Art vivant*, nº 18, 15 septembre 1925, in Fourcade, *op. cit.*, p. 81.

17 Propos rapportés dans « Il mio maestro Henri Matisse », *La biennale di Venezia*, nº 26, décembre 1955, in Fourcade, *op. cit.*, p. 273-274.

18 « Notes d'un peintre sur son dessin », *Le Point*, nº 21, juillet 1939, in Fourcade, *op. cit.*, p. 163.

19 Préface au catalogue de l'exposition *Henri Matisse, dessins*, organisée par l'A.P.I.A.W., à Liège en 1946.

20 Matisse conserva toujours la toile de Jouy qui inspira *La Chambre rouge* (1908) et il n'est pas surprenant que ce panneau décoratif pour salle à manger ait appartenu à l'amateur russe Chtchoukine, qui tenait commerce de textiles orientaux à Moscou. On retrouve ce morceau de tissu dans *La Nappe bleue* (1909), qui fit partie de la même collection.

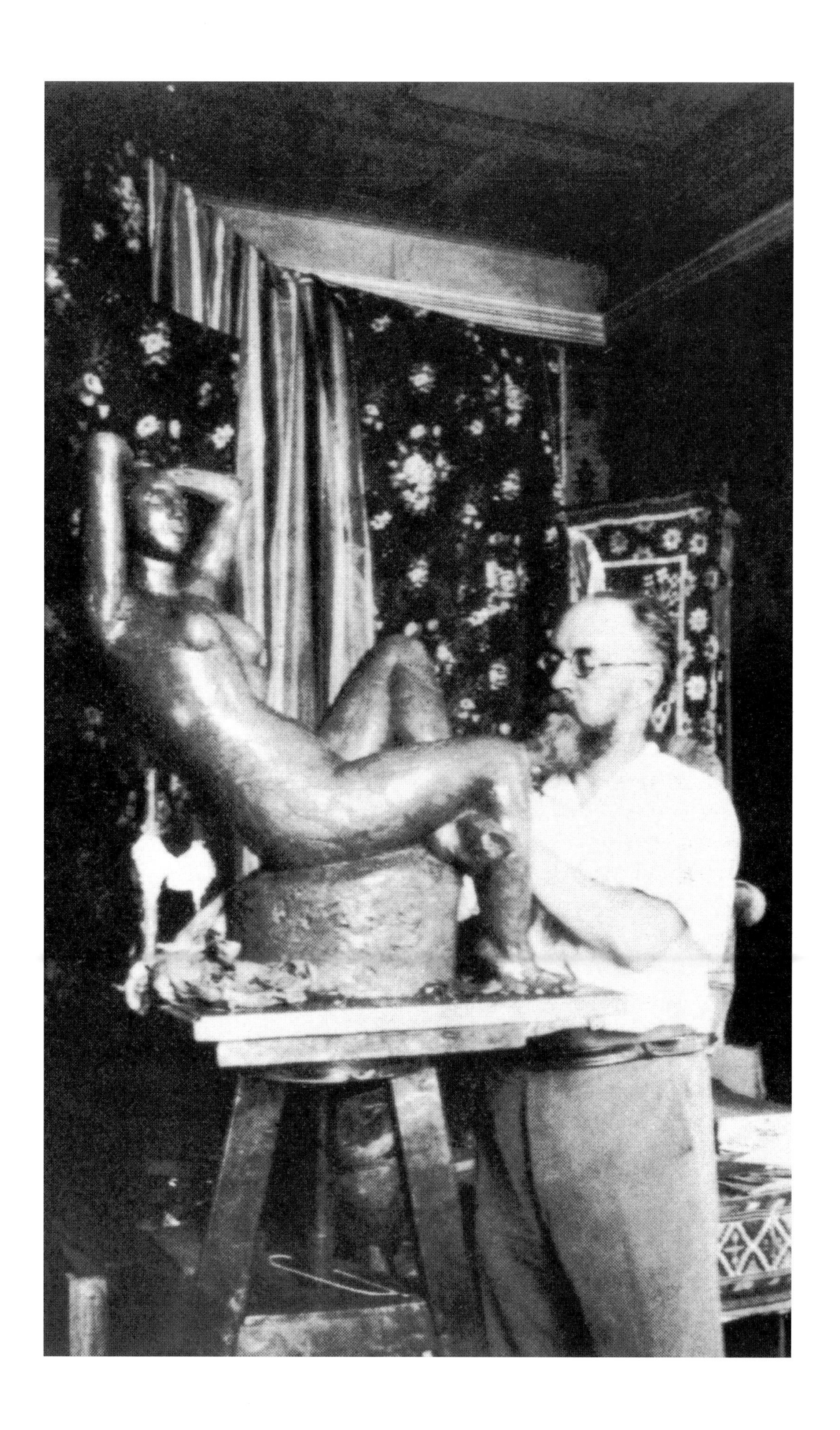

Matisse et le *Grand Nu assis*
dans son appartement
1, place Charles-Félix.

il s'intéressa particulièrement aux miniatures persanes, en lesquelles il trouva « une nouvelle confirmation » de sa recherche d'un « véritable espace plastique[21] » : « On se livre d'autant mieux que l'on voit ses efforts confirmés par une tradition, si ancienne fût-elle. Elle vous aide à sauter le fossé[22]. »

À la fin de cette année 1910, Matisse découvrit en Espagne les sites mauresques d'Andalousie : Cordoue, Grenade, Séville… où il peignit deux natures mortes saturées de couleurs destinées à l'amateur russe Chtchoukine. Celui-ci l'invita dans son pays en 1911 : « J'ai compris la peinture byzantine devant les icônes à Moscou[23]. »

Matisse passa le mois de janvier 1912 et l'hiver 1912-1913 au Maroc. Il pourra par la suite proclamer : « La révélation m'est venue de l'Orient[24] », mais aussi « Je suis trop anti-pittoresque pour que les voyages m'aient apporté beaucoup[25]. »

Matisse se soucie peu des paysages ou des scènes exotiques, mais il se nourrit profondément de la culture du pays où il séjourne. Ce qu'il retient particulièrement de l'art musulman, c'est le traitement des surfaces par la prolifération des détails ornementaux. Il s'arrête aux faïences qui habillent les murs, aux tapis qui recouvrent les sols, aux moucharabiehs qui filtrent les regards… Matisse apprécie les effets décoratifs produits par la profusion répétitive de motifs : « C'est commettre une grave erreur de jugement que d'attribuer un sens péjoratif au mot décoratif[26]. » L'accessoire est essentiel. C'est aussi pour cette raison que, dans ses tableaux, les objets jouent un rôle très important et il est intéressant de noter que le livre représenté dans le *Portrait de la baronne Gourgaud*, 1924 (cat. 15) s'intitule symboliquement *Art et Décoration*. Matisse ne considère nullement que les deux termes sont antinomiques : « Le décoratif pour une œuvre d'art est une chose extrêmement précieuse. C'est une qualité essentielle. Il n'est pas péjoratif de dire que les peintures d'un artiste sont décoratives[27]. »

Matisse aménage dans son appartement un petit espace orientalisant pour accueillir ses modèles[28]. Il organise son intérieur pour mettre en scène ses odalisques, qui apparaissent tout naturellement dans son univers. Le peintre se souvient, bien sûr, de ses séjours au Maroc mais, quoi qu'il en dise, il est peu probable qu'il ait eu souvent, en ce pays, l'occasion de rencontrer ces femmes qui hantent l'imaginaire occidental. Sur ce point, Matisse arrive après Delacroix, Ingres, Renoir…, mais ce thème s'impose progressivement à lui comme une nécessité plastique. « Je fais des odalisques pour faire du nu[29] », déclare-t-il en 1929. Matisse est déjà familier du genre, mais pourquoi éprouve-t-il le besoin d'un renouvellement et de s'en expliquer ? Traduisons : « Je fais des odalisques avec des nus. » Il ne peut en être autrement pour la femme qui entre dans son jeu, principalement Henriette Darricarrère de 1920 à 1927. Pour Matisse, qui fuit le pittoresque, quelques signes peuvent parfois suffire à évoquer l'ailleurs : une paire de babouches, une chaînette…

21 Propos recueillis par Gaston Diehl, *Art présent*, n° 2, 1947, in Fourcade, *op. cit*, p. 203.

22 *Ibid.*, p. 204.

23 *Ibid.*

24 *Ibid.*

25 « Matisse speaks », entretien avec Tériade, *Art News Annual*, n° 21, 1952, retraduit de l'anglais, in Fourcade, *op. cit.*, p. 124.

26 Matisse à André Lejard, 1951, in Fourcade, *op. cit.*, p. 308.

27 « Matisse à Paris », *Les Lettres françaises*, n° 76, 6 octobre 1945, in Fourcade, *op. cit.*, p. 308.

28 Matisse admet le caractère artificiel de son dispositif. Il a déjà l'expérience grandeur nature du théâtre, puisqu'il a conçu, en 1920, pour Diaghilev et Stravinsky, les décors et les costumes d'un ballet, *Le Chant du rossignol*.

29 « Visite à Henri Matisse », *L'Intransigeant*, 14 et 22 janvier 1929, in Fourcade, *op. cit.*, p. 99.

Jean-Auguste Dominique Ingres,
Portrait de Madame de Senonnes,
1814, Nantes, musée des Beaux-Arts.

En fait, la représentation d'un personnage dans un décor va poser un véritable cas de conscience à Matisse. Comment traiter la relation de la figure au fond lorsqu'on accorde à l'un et à l'autre une égale importance dans l'organisation du tableau ? La célèbre *Figure décorative sur fond ornemental* (1925-1926)[30] propose une réponse : le peintre a choisi de dissocier les deux parties du problème. La figure, tel un objet, est posée dans l'espace préparé en un rapport tendu qui relève presque de la confrontation. Prenant l'exemple de cette œuvre, Isabelle Monod-Fontaine, qui a analysé avec perspicacité l'apparition et l'évolution du thème de l'odalisque chez Matisse, estime que les « toiles les plus réussies sont d'ailleurs celles où la tension est la plus affirmée entre la figure et le fond[31] ».

Dans ce tableau, le nu, très modelé, rappelle qu'à cette époque, l'artiste pratiquait de nouveau la sculpture, comme s'il voulait matériellement éprouver la distinction entre peinture et expression en trois dimensions pour résoudre une contradiction qu'il ressentait dans son travail[32]. Effectivement, Matisse a exploré d'autres directions. L'odalisque, rarement totalement nue, porte souvent des vêtements fournis par l'artiste. Ceux-ci servent alors de lien, de passage entre le personnage et le contexte décoratif dans lequel il prend place ; c'est une manière d'unir la figure au fond.

Il faut rappeler ici que le dernier jour de l'année 1917, Matisse rendit visite à Auguste Renoir dans sa propriété des Collettes, à Cagnes-sur-Mer. (On sait qu'il rencontra ensuite plusieurs fois son aîné avant la mort de celui-ci en 1919.) Renoir lui montra très probablement un tableau qu'il considérait comme le sommet de sa carrière, *Les Baigneuses* (1918-1919)[33] : deux jeunes filles nues peintes dans une manière qui rompt avec ses habitudes et sur laquelle il s'est expliqué en 1918 : « Je suis classé par les peintres de figure et on a raison. Mon paysage n'est qu'accessoire. En ce moment je cherche à le confondre avec mes personnages. Les anciens ne l'ont pas tenté[34]. » Renoir avait le sentiment d'ouvrir une voie nouvelle à la peinture, ce qui ne dut pas échapper à Matisse. Celui-ci vit peut-être aussi *Le Concert,* réalisé vers 1919[35] : deux jeunes femmes en costume d'inspiration orientale dans un intérieur ; le cadrage est très serré, les personnages, le bouquet de fleurs, le mur du fond sont traités sur un même plan, sans illusion de profondeur, avec une égale attention. Il est intéressant de savoir que Matisse et Renoir avaient une même passion pour Ingres. Renoir considérait le *Portrait de Madame de Senonnes* (1814), conservé au musée des Beaux-Arts de Nantes, comme « le » chef-d'œuvre du maître. « Il faut aller à Nantes[36]. »

Matisse avouait lui aussi une totale admiration pour cette œuvre. Louis Aragon consacra un chapitre entier de son *Matisse, roman* à rappeler cette ferveur et ses conséquences sur le travail du peintre, qui choisissait ses modèles en fonction de leur ressemblance avec Madame de Senonnes.

Matisse devait être aussi sensible à tout ce qui contribuait à la composition générale du tableau de Nantes : la richesse du dessin, la somptuosité des coloris, le rendu des matières textiles, l'abondance des

30 Paris, Musée national d'art moderne.

31 « Le paradoxe de l'odalisque », in *Le Maroc de Matisse*, Paris, Institut du monde arabe/Gallimard, 1999, p.122.

32 Il est significatif que le tableau *Intérieur à l'esclave* (cat. 16) représentant une sculpture soit resté inachevé.

33 Les enfants de Renoir offrirent ce tableau à l'État en 1923.

34 René Gimpel, *Le Journal d'un collectionneur*, Paris, 1963, p. 27, cité in catalogue *Renoir*, Londres, Paris, Boston, 1985-1986, Paris, Réunion des musées nationaux, p. 360.

35 Toronto, Art Gallery of Ontario.

36 Ambroise Vollard, *En écoutant Cézanne, Degas, Renoir*, Paris, Grasset, 1938, rééd. 1994, p. 270. Renoir fit sans doute une halte à Nantes en se rendant en 1892 à Pornic, où il passa une partie de l'été.

détails qui participe de façon aucunement anecdotique à la tenue de l'œuvre..., mais surtout l'improbable miroir noir dans lequel se reflètent les épaules et la nuque de la femme. Il s'agit là d'une licence artistique qui permet, sans creuser l'espace, de ramener sur un même plan la figure et le fond[37]. Matisse sut tirer profit de la leçon. Non seulement plusieurs tableaux de la période niçoise présentent des miroirs noirs[38] mais, plus généralement, l'ensemble de cette époque peut se caractériser par une recherche d'un espace autre.

Dans les années vingt, alors que Matisse resserrait volontairement son champ de vision sur quelques mètres carrés de son logement, Monet préparait ses « grandes décorations » promises à l'État, en concentrant son attention sur la surface réduite d'un plan d'eau. Chacun, à sa façon, explorait de nouveaux horizons. Matisse devra faire l'expérience d'un voyage au bout du monde pour en prendre conscience et déclarer à son retour de Tahiti : « Je cherchais autre chose que l'espace réel [...]. En art, ce qui importe, ce sont les rapports entre les choses[39]. » Il faut comprendre que les intérieurs et les nus n'étaient que prétextes à interroger la peinture. Picasso ne s'y est pas trompé. Après la mort de son ami et rival en 1954, il rendit implicitement hommage au peintre, qu'il avait peut-être le mieux compris, en déclarant : « Matisse en mourant m'a légué ses odalisques[40]. »

37 Matisse a rapporté qu'il avait montré ses tableaux récents à Renoir et que celui-ci lui avait fait des remarques sur l'utilisation audacieuse qu'il faisait du noir : « [...] quand vous placez un noir, sur la toile, il reste à son plan [...] c'est une teinte que j'ai bannie de ma palette. Quant à vous, utilisant un vocabulaire coloré, vous introduisez le noir et cela tient », in Fourcade, *op. cit.*, p. 202.
38 Un autre tableau d'Ingres peut être rapproché du *Portrait de Madame de Senonnes*, le *Portrait de Madame Moitessier, devant un miroir noir* (1856), entré dans les collections de la National Gallery de Londres en 1936. Toutefois, ce tableau était conservé dans une collection privée lorsque Matisse, à la demande des Ballets Russes, s'est rendu à Londres en 1919 pour préparer les décors et les costumes du *Chant du rossignol*.
39 « Le tour du monde d'Henri Matisse. Entretien avec Tériade », *L'Intransigeant*, 19, 20, 27 octobre 1930, in Fourcade, *op. cit.*, p. 101.
40 Roland Penrose, *Picasso*, Paris, Flammarion, 1982, p. 467.

Henri Matisse, *Figure décorative sur fond ornemental,* 1925-1926, Paris, Musée national d'art moderne.

Catalogue

Céline Rincé-Vaslin

Matisse dessinant une odalisque,
Nice, vers 1928.
Photographie : archives Matisse.

« Les odalisques furent le fruit à la fois d'une heureuse nostalgie, d'un beau et vivant rêve et d'une expérience vécue quasiment dans l'extase des jours et des nuits, dans l'incantation d'un climat. »

Henri Matisse cité par André Verdet, *Entretiens, notes et écrits sur la peinture : Braque, Léger, Matisse, Picasso*, Paris, Galilée, 1978.

1

Les Trois Sœurs, 1917

2
Autoportrait, 1918

3
Femme au divan, 1920

4
Intérieur à Nice, Mademoiselle Matisse, Mademoiselle Darricarrère, 1920

5
La Jeune Fille et le vase de fleurs,
ou **Le Nu rose**, vers 1920

6
Le Boudoir, 1921

henri. matisse

7
Femmes au canapé, ou **Le Divan**, 1921

Henri-Matisse

8

Femme à la mandoline, 1921-1922

9
Odalisque bleue, ou **L'Esclave blanche**, 1921-1922

10

Femme au violon, 1921-1922

11

Intérieur à Nice, la sieste, 1922

12

Nu drapé étendu, 1923-1924

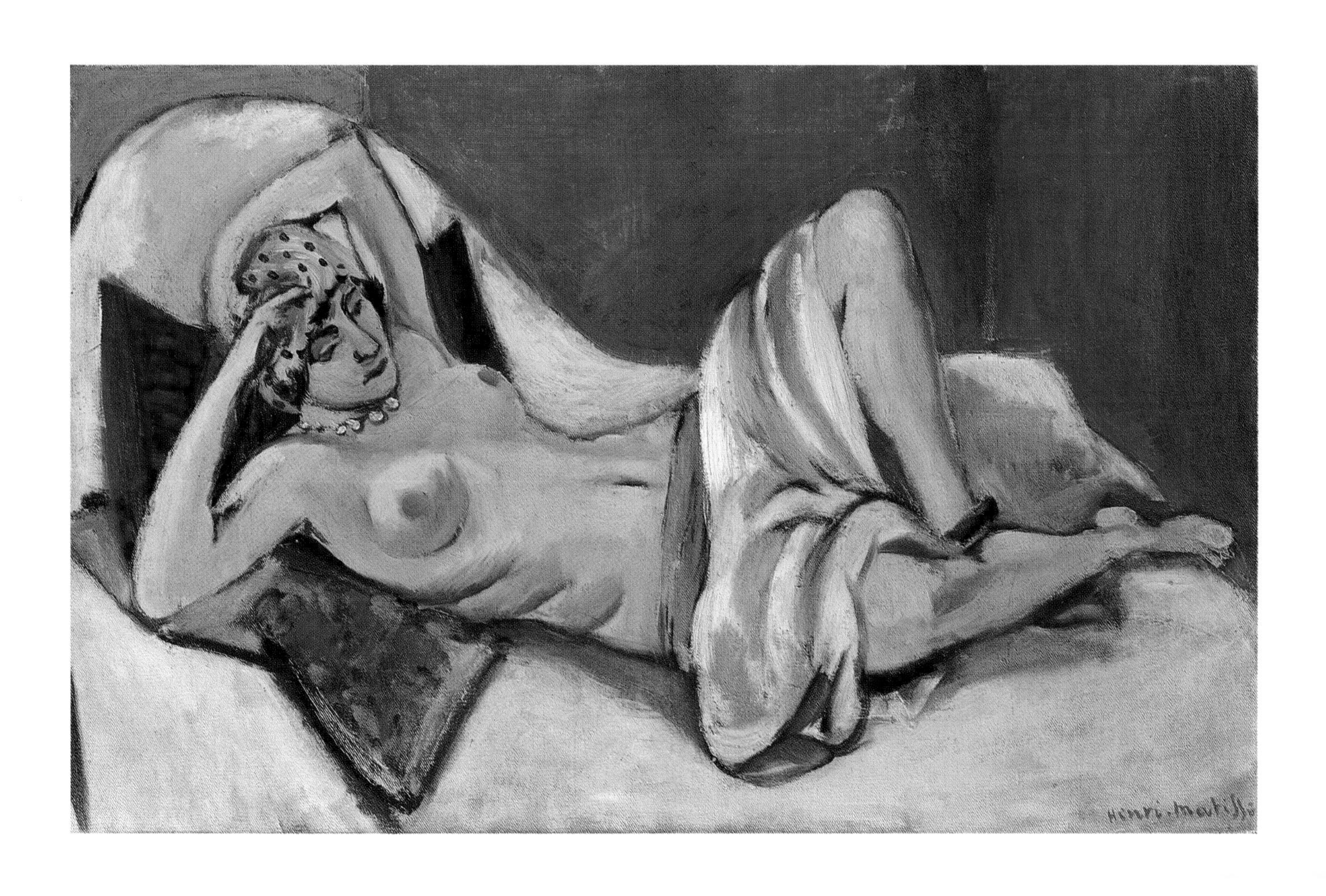
henri-matisse

13

Petite Pianiste, robe bleue, fond rouge, 1924

14
Pianiste et nature morte, 1924

15
Portrait de la baronne Gourgaud, 1924

ART
ET
DECORAT

16
Intérieur à l'esclave, 1924

17
Odalisque à la culotte rouge, 1924-1925

18 *
Odalisque au coffret rouge, 1927

19
Odalisque à la culotte grise, 1927

1. ***Les Trois Sœurs***

1917
Huile sur toile
92 x 73
Paris, musée national de l'Orangerie

En 1917, Matisse réalise deux œuvres qui portent le même titre, *Les Trois Sœurs* ; l'une des deux est un triptyque (Merion, The Barnes Foundation), l'autre, très proche du panneau de droite de ce dernier, est le tableau de la collection Walter-Guillaume que nous présentons ici.
Ces peintures évoquent, selon les versions, Lorette, jeune femme d'origine italienne et modèle de prédilection de l'artiste de la fin de l'année 1916 à 1918, accompagnée soit de ses deux sœurs, soit de ses deux cousines, soit encore de sa sœur et d'une femme anonyme. Cette représentation peut également apparaître comme la triple déclinaison d'une seule figure, Lorette. Pour Pierre Schneider, il n'est aucunement question de parenté car « la ressemblance qui neutralise les visages des *Trois Sœurs* est due moins à un air de famille qu'à l'indifférence de la pose professionnelle » (Schneider, 1984, p. 436).
Les deux jeunes femmes qui nous regardent ont le bras gauche dans la même position : l'une s'appuie sur le bord de son siège, l'autre sur l'épaule de la troisième figurante qui, les yeux baissés, lit un ouvrage, dont la clarté contraste avec la tonalité sombre du tableau. Toutes trois ont un visage légèrement dissymétrique, chacune étant coiffée et habillée de manière différente, ce qui permet au peintre de jouer sur les décolletés variés, les couleurs et les motifs. Le goût de Matisse pour la mode et les tissus se trouve ici vérifié : « Nul peintre moderne n'a consacré autant de soins à la garde-robe où il choisissait les vêtements de ses modèles » (*ibid.*, p. 715).
La disposition des modèles en triangle, le fond sombre et la frontalité des figures ainsi que leur hiératisme, concourent au caractère monumental du tableau, bien que son format reste modeste. Par ailleurs, l'utilisation du noir, à la fois dessin et couleur, suggère l'influence de Manet.
Peint dans l'atelier d'Issy-les-Moulineaux, ce tableau annonce par son sujet et son traitement le style plus détendu de la période niçoise.

2. ***Autoportrait***

1918
Huile sur toile
65 x 54
Le Cateau-Cambrésis, musée Matisse

À la fin du mois d'octobre 1917, Matisse quitte Paris pour l'Estaque. Il y souffle un vent violent qui lui fait contracter une bronchite. Dans l'espoir de se soigner, il se rend à Nice le 20 décembre. Malheureusement, le temps n'y est guère plus clément, il pleut sans cesse pendant un mois, aussi le peintre décide-t-il de quitter la ville. Le jour de son départ, le mistral chasse les nuages. L'artiste se souvient : « Quand j'ai compris que chaque matin je reverrais cette lumière, je ne pouvais croire à

mon bonheur », puis « je décidai de ne pas quitter Nice, et j'y ai demeuré pratiquement toute mon existence » (Fourcade, 1992, p. 123).
À son arrivée, Matisse s'installe seul à l'hôtel Beau Rivage. Ce modeste établissement est plus en accord, selon Dominique Fourcade, avec les débuts d'un jeune artiste démuni qu'avec le statut d'un peintre considéré comme l'un des grands maîtres du xxe siècle ayant acquis une réelle aisance matérielle (Fourcade, in cat. exp. Washington, 1986, p. 51). Sa chambre, dotée d'une unique fenêtre, d'un lit à une place, d'une armoire et d'un fauteuil, sert de cadre à son autoportrait. Le peintre, assis sur une chaise, se représente dans l'action, sa main gauche tenant le pinceau, la droite la palette d'où sort un pouce démesurément gros. Deux objets jouent un rôle symbolique dans cette composition : la valise posée à ses pieds, allégorie de son installation récente, et le parapluie noir qui évoque le temps maussade du premier mois. Le fond sombre des années préniçoises est encore présent, contrastant d'autant plus avec le sol rouge de la chambre et le blanc du nécessaire de toilette.
Matisse, qui a probablement commencé cet autoportrait fin 1917, le termine au début de 1918. En effet, des photos prises à l'hôtel Beau Rivage par le critique George Besson et datées de 1917 le montrent à côté de cette toile en cours de réalisation.

3. ***Femme au divan***

1920
Huile sur toile
60 x 73,5
Bâle, musée des Beaux-Arts

En 1920, Matisse rencontre aux studios de la Victorine, à Nice, Henriette Darricarrère, alors danseuse pour un film. Séduit par son corps sculptural et l'ovale régulier de son visage, l'artiste en fait son principal modèle jusqu'en 1927. Figure par excellence des années niçoises, elle est tour à tour musicienne, ballerine, lectrice, odalisque... Plus qu'un simple objet pictural, elle se révèle être « une partenaire sur la scène théâtrale de la peinture » (Girard, 1997, p. 91).
Femme au divan est l'un des premiers tableaux où apparaît la jeune femme. La scène se déroule dans une chambre de l'hôtel de la Méditerranée et de la Côte d'Azur où Matisse demeure lors de ses séjours niçois, de novembre 1918 au printemps 1921. À la fois chambre et atelier, cette pièce présente des éléments que l'on retrouve dans de nombreuses œuvres réalisées au cours de ces trois années : le miroir ovale à col de cygne, la coiffeuse recouverte d'un tissu rayé, le divan et le vase avec un bouquet de fleurs. Dans cet intérieur caractéristique d'une « peinture d'intimité » (Fourcade, 1992, p. 77), la femme assise sur la méridienne, la tête reposant dans sa main gauche, se laisse aller à quelque rêverie.
Notre regard est conduit vers l'échappée de la porte-fenêtre, le dehors. Sujet privilégié de Matisse durant toute sa carrière, la fenêtre symbolise « un passage entre l'extérieur et l'intérieur » (*ibid.*, p. 123). Elle règle le dosage de la lumière par le système méridional des persiennes, qui découpent, montrent et occultent à la fois le paysage. Cette composition nous donne une vision fugace de la Promenade des Anglais où l'on distingue un palmier et deux ombres noires, image qui se réfléchit dans le carreau de la fenêtre.

4. ***Intérieur à Nice, Mademoiselle Matisse, Mademoiselle Darricarrère***

1920
Huile sur toile
46 x 65
Saint-Tropez, musée de l'Annonciade

Intérieur à Nice, Mademoiselle Matisse, Mademoiselle Darricarrère est l'une des cinquante-six œuvres que Georges Grammont a léguées à l'État le 5 août 1955. Elles étaient destinées au musée de l'Annonciade.

Amateur éclairé, cet industriel côtoie de nombreux artistes, dont Henri Matisse, et poursuit le projet des peintres Henri Person et André Turin, fondateurs du musée en 1922, en aménageant à ses frais l'ancienne chapelle de l'Annonciade afin d'y accueillir des collections représentatives de la peinture moderne française.

Intérieur à Nice donne à voir le double portrait de Marguerite, la fille de Matisse, et d'Henriette, son modèle. Les deux jeunes femmes semblent avoir été interrompues dans leur conversation ; Marguerite, assise de trois quarts, nous regarde comme si elle avait été interpellée. Un soin particulier est apporté aux motifs décoratifs des revêtements muraux et aux tenues vestimentaires. Ainsi, Marguerite porte un chapeau aux tons framboise retenu par un lien noir, une jupe plissée aux reflets pastel et un chemisier fleuri qui fait écho aux deux bouquets d'anémones. Ces fleurs, très présentes dans les tableaux de la période niçoise, matérialisent les couleurs pures et jouent le rôle, à ce titre, d' « échelles chromatiques dans les marges d'un cliché en couleurs » (Schneider, 1984, p. 513).

5. ***La Jeune Fille et le vase de fleurs*, ou *Le Nu rose***

Vers 1920
Huile sur toile
60 x 73
Paris, musée national de l'Orangerie

Dans l'atmosphère lumineuse et feutrée d'une chambre de l'hôtel de la Méditerranée, Matisse représente son modèle en mouvement, se déplaçant avec une certaine désinvolture.

La toile se partage entre les teintes claires – jaune, bleu, blanc, rose… – et les couleurs complémentaires – rouge et vert – plus intenses, cantonnées dans la partie droite du tableau. Le bouquet de fleurs, son reflet dans le miroir ainsi que celui de l'étoffe rouge permettent de contrebalancer les tonalités vives des coussins, du divan et des trois verticales de la tapisserie.

La disposition des couleurs ainsi que les lignes de fuite de la table et du divan, les obliques de la porte-fenêtre et des embrasses des rideaux font converger notre regard vers la jeune fille aux formes douces, placée au centre du tableau. Le corps de celle-ci, réduit à ses lignes essentielles, est tout en rondeurs, en courbes. Son aspect callipyge évoque les proportions des sculptures africaines auxquelles Matisse s'intéresse dès 1906.

L'anonymat volontaire du visage et la composition de l'œuvre font écho aux propos tenus par Matisse à Georges Charbonnier : « Si on met des yeux, un nez, une bouche, ça n'a pas grande utilité, au contraire, ça paralyse l'imagination du spectateur et ça oblige à voir une personne d'une certaine forme, une certaine ressemblance, etc. tandis que si vous donnez des lignes, des valeurs, des forces, l'esprit du spectateur s'engage dans le dédale de ces éléments multiples... et alors l'imagination est délivrée de toute limite ! » (Fourcade, 1992, p. 274).

6. ***Le Boudoir***

1921
Huile sur toile
73 x 60
Paris, musée national de l'Orangerie

Le titre donné à ce tableau, *Le Boudoir*, accentue le caractère à la fois intime et féminin de cette scène. Deux modèles posent : Henriette et Marguerite, la fille de Matisse, dont la présence aux côtés de son père au cours de l'année 1921 explique la multiplication des toiles à deux figures à cette époque.

Nous reconnaissons ici les objets et le décor des chambres de l'hôtel de la Méditerranée. Comme dans les autres œuvres de cette période, la technique et les tons pâles rappellent l'aquarelle. Seules les touches de rouge, de noir, de vert et de violet présentes dans le bouquet d'anémones, dans le reflet du miroir, sur les rayures de la nappe et dans la tenue de Marguerite réveillent cette atmosphère enveloppée dans une douce torpeur. Une fois de plus, la mise en page conduit notre regard vers la fenêtre, où l'on perçoit le ciel laiteux et la tête d'un palmier découpée par les carreaux. Henriette se tient dans l'embrasure de la fenêtre et Marguerite, sur le canapé, adopte une pose comparable à celle de la *Femme au divan* (cat. 3).

7. ***Femmes au canapé*, ou *Le Divan***

1921
Huile sur toile
92 x 73
Paris, musée national de l'Orangerie

Une puissante atmosphère théâtrale se dégage de ce tableau. Cette sensation tient à deux éléments. C'est d'une part le lieu où se déroule la scène : l'hôtel de la Méditerranée, dépeint en ces termes par Matisse : « Un vieil et bon hôtel, bien sûr ! Et quels jolis plafonds à l'italienne ! Quels carrelages ! On a eu tort de démolir l'immeuble. J'y suis resté quatre ans pour le plaisir de peindre. Vous souvenez-vous de la lumière qu'on avait à travers les persiennes ? Elle venait d'en dessous comme d'une rampe de théâtre. Tout était faux, absurde, épatant, délicieux » (Fourcade, 1992, p. 123). Elle tient d'autre part à la vue plongeante sur la surface de tommettes rouges qui nous place dans la position de spectateurs assis au balcon d'un théâtre à l'italienne. Enfin, le grand pan de tissu rouge, strié d'ombres noires, évoque un rideau de scène.

La composition de ce décor s'organise autour de la fenêtre entrouverte. Représentée en entier, avec ses voilages, son imposte arrondie et sa balustrade, elle s'ouvre sur le bleu de la mer et du ciel, et inonde la chambre de lumière. Les deux ambiances, intérieure et extérieure, s'interpénètrent. « Pour mon sentiment l'espace ne fait qu'un depuis l'horizon jusqu'à l'intérieur de ma chambre-atelier [...] le bateau qui passe vit dans le même espace que les objets familiers autour de moi, et le mur de la fenêtre ne crée pas deux mondes différents » (Schneider, 1984, p. 451).

Les retouches et les repentirs sont visibles, témoignant des recherches effectuées sur la disposition du mobilier de la pièce, et donnant une idée de mouvement, comme si le peintre avait voulu déplacer ces éléments pour dégager la vue sur le paysage.

La présence des deux personnages paraît ici anecdotique ; repoussés sur le côté du tableau, ils ne sont qu'esquissés. La femme allongée sur le divan, bras croisés derrière la tête, reprend l'attitude de la figure du tableau accroché au-dessus de sa tête, pose qui semble annoncer les odalisques.

8. ***Femme à la mandoline***

1921-1922
Huile sur toile
47 x 40
Paris, musée national de l'Orangerie

Ce tableau est peint dans l'appartement situé place Charles-Félix, où l'artiste dispose de deux ateliers donnant sur le front de mer. Le plus grand, où se situe la scène qui nous intéresse, servait d'atelier principal pour la peinture et le dessin. « Cette pièce était tendue d'un papier peint à motifs étranges, très chargés. Elle comportait aussi un plafond peint à fresque. Matisse surchargea encore par la suite ce décor en y accrochant ses propres peintures et dessins, des miroirs, des reproductions de dessins de Michel-Ange et aussi des éléments de sa collection personnelle : masques, tentures et peintures, notamment de Courbet » (Cowart, in cat. exp. Washington, 1986, p. 30).

La fenêtre grande ouverte nous offre une vue sur les galeries basses des Ponchettes, le quai des États-Unis, la plage, la mer et le ciel. Deux palmiers et des personnages rapidement esquissés en noir viennent rompre ces plans horizontaux.

La jeune femme tient une petite mandoline de sa main gauche. Comme dans la grande majorité des œuvres de Matisse, le dessin de cette partie du corps est largement simplifié : « Le peintre de grande composition, porté par le mouvement de son tableau, ne peut pas s'arrêter au détail, peindre chaque détail comme un portrait, faire le portrait d'une main chaque fois différente. [...] Avec des signes on peut composer librement et ornementalement » (Fourcade, 1992, p. 204-205).

Adossée à la fenêtre, la mandoliniste porte un chemisier orné d'un motif rappelant celui de la tapisserie et dont la couleur jaune fait écho au ton du mur extérieur. Le reflet du personnage dans les carreaux, déporté sur la droite par rapport à la réalité, constitue une variation du thème du miroir.

Les teintes de rose et de violet sont largement déclinées dans le décor de cette composition : encadrement de la fenêtre, mur d'allège, galeries, mais aussi dans le traitement de la peau du modèle et de ses bijoux.

9. ***Odalisque bleue*, ou *L'Esclave blanche***

Vers 1921-1922
Huile sur toile
82 x 54
Paris, musée national de l'Orangerie

Matisse découvre l'art oriental à la fin du XIXe siècle lors de ses visites des collections de tapis du Louvre ou du musée des Arts décoratifs. Il se rend aussi à plusieurs manifestations orientales organisées à Paris, notamment, en 1900, à l'Exposition universelle où il s'intéresse à la collection d'art copte (Fourcade, 1992, p. 83). Au mois d'octobre 1910, l'artiste est à Munich pour visiter la première exposition internationale d'art musulman jamais organisée. Il est enthousiasmé par les 3 500 pièces présentées, surtout par les tapis et les étoffes. Selon ses dires, il y trouve « une nouvelle confirmation » de son attirance pour cette esthétique (*ibid.*, p. 203). Il satisfait sa passion par des voyages en Algérie en 1906, en Andalousie en 1910 et 1911, au Maroc en 1912 et 1913.
Au début des années 1920, à Nice, Matisse intègre dans son travail une figure mythique du monde islamique, l'odalisque. Il aborde ce thème dans un état d'esprit particulier : « J'avais besoin de souffler, de me laisser aller au repos dans l'oubli des soucis, loin de Paris. Les odalisques furent le fruit à la fois d'une heureuse nostalgie, d'un beau et vivant rêve et d'une expérience vécue quasiment dans l'extase des jours et des nuits, dans l'incantation d'un climat » (Verdet, 1978, p. 124). Peindre des odalisques permet à Matisse de conjuguer deux de ses passions, le corps de la femme et les étoffes, mais aussi de se placer dans la lignée de peintres du XIXe siècle qu'il admire : Ingres et Delacroix.
La gamme chromatique dominée par les gris et les bleus ainsi que la légèreté de la touche baignent le présent tableau d'une lumière argentée. *L'Odalisque bleue*, un bras levé derrière la nuque, l'autre placé dans le bas du dos, adopte une attitude qui met en valeur son buste dénudé. Les traits, ainsi que l'ovale parfait de son visage, évoquent ceux des masques africains. Elle porte une jupe de gaze dont la transparence laisse percevoir ses formes généreuses. Le jaune de la ceinture attachée autour des reins de la jeune femme crée une rupture avec les tons bleutés du tableau et accentue son déhanchement. Elle a pour seul bijou un collier aux perles dorées.
Outre la tenue du modèle, le climat oriental du tableau est obtenu par le paravent mauresque orné de multiples cercles qui répondent aux rondeurs de l'odalisque.

10. ***Femme au violon***

Vers 1921-1922
Huile sur toile
82 x 54
Paris, musée national de l'Orangerie

À un journaliste qui lui demande s'il aime la musique, Matisse répond : « Oui, beaucoup, c'est ma seule récréation. Je joue du violon, j'en ai joué dès mon enfance ; mais, à mesure que j'acquérais quelque maîtrise dans mon art, je devenais de moins en moins satisfait de jouer si mal du violon. Un maître de musique me dit que si je m'exerçais pendant un an, j'obtiendrais la technique relative que je souhaitais, aussi je pris des leçons pendant un an et jouais alors souvent six heures par jour :

et voilà le résultat : je suis maintenant capable de me faire plaisir en jouant quelquefois à mes amis » (entretien de Matisse à Franck Harris repris dans *Macula*, n° 1, 1976, in Girard, 1997, p. 131).

Cet instrument de prédilection figure dans de nombreuses compositions des années niçoises, seul (*Intérieur au violon*, Copenhague, Statens Museum for Kunst, *Violoniste à sa fenêtre*, Paris, Musée national d'art moderne) ou avec des musiciens. Dans ce tableau, l'instrument est silencieux, la jeune femme l'a posé sur ses genoux et tient l'archet d'une main.

Matisse associe les motifs décoratifs (cercles aux dégradés de bleu du paravent, rayures vertes et jaunes sur fond blanc de la chemise) et joue sur la multiplication des lignes horizontales (les cordes, le manche de l'instrument, les barreaux de la chaise, la porte...), des parallèles (le bras que prolonge l'archet, la jambe de la violoniste, les ombres des pieds de la table) et des courbes (contours de l'instrument et de sa boîte, arrondi formé par la posture du modèle).

Les couleurs sont harmonieusement disposées : « Le tableau est fait de la combinaison de surfaces différemment colorées, combinaison qui a pour résultat de créer une expression. De la même façon que dans une harmonie musicale chaque note est une partie du tout, ainsi souhaitai-je que chaque couleur eût une valeur contributive » (Fourcade, 1992, p. 131-132).

11. ***Intérieur à Nice, la sieste***

1922
Huile sur toile
66 x 54,5
Paris, Musée national d'art moderne

En 1905, au début du fauvisme, Matisse, inspiré par la lumière « blonde, dorée » de Collioure (Girard, 1997, p. 42), associe le thème de la somnolence à cette cité méditerranéenne en peignant *Intérieur à Collioure, la sieste* (collection particulière).

À Nice, charmé par la « lumière tendre et moelleuse » (lettre de Matisse à Charles Camoin écrite le 23 mai 1918, citée par Fourcade, 1992, p. 109), il traite de nouveau ce sujet. L'atmosphère qui règne dans l'atelier de l'appartement de la place Charles-Félix semble propice à l'apaisement. L'impression de détente est accentuée par l'attitude du modèle qui s'abandonne dans son fauteuil, délaissant son livre pour s'accorder un moment de repos.

Tous les éléments, intérieurs et extérieurs, de la composition sont placés sur un même plan. Outre l'important bouquet de fleurs posé sur le secrétaire, la forme florale est omniprésente dans ce décor : sur la tapisserie, le pan de tenture rouge, le fauteuil, la moquette, ainsi que sur la ceinture de la robe de la jeune femme. La légèreté de la touche et les tons clairs apparentent une fois de plus le rendu de la toile à l'aquarelle.

La fenêtre s'ouvre sur le paysage niçois, symbolisé par deux palmiers. « C'est sur Nice que s'ouvrent les fenêtres de Matisse. Je veux dire dans ses tableaux. Ces merveilleuses fenêtres ouvertes, derrière lesquelles le ciel est bleu comme les yeux de Matisse derrière ses lunettes. Et c'est un dialogue de miroirs. Nice regarde son peintre et se peint dans ses yeux » (Aragon, 1971, p. 119).

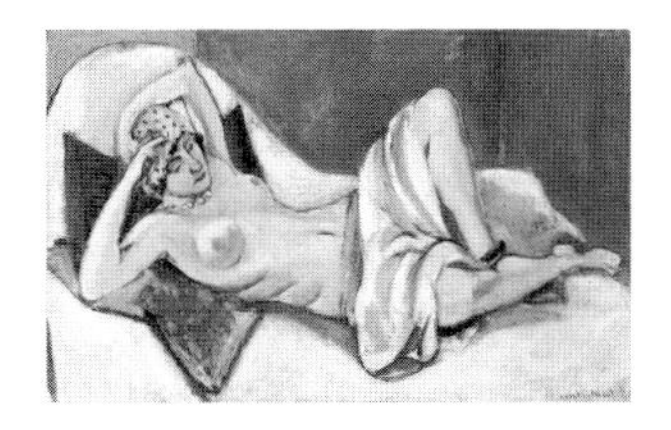

12. ***Nu drapé étendu***

1923-1924
Huile sur toile
38 x 61
Paris, musée national de l'Orangerie

Par sa proximité avec le thème des odalisques, notamment l'attitude du modèle et sa tenue, ce tableau est le plus souvent daté de la période 1923-1924. Cependant, comme le souligne Jean-Pierre Labiau (cat. exp. Montréal, 2000, p. 186), il est vraisemblablement d'une date antérieure. En effet, deux éléments explicites nous rappellent l'atmosphère des chambres de l'hôtel de la Méditerranée et de la Côte d'Azur : le divan et la tenture rouge, présents dans de nombreuses œuvres comme, par exemple, *Femmes au canapé*, ou *Le Divan* (cat. 7). En outre, la sobriété du décor contraste avec l'abondance des couleurs et des motifs propres aux œuvres mettant en scène des odalisques.
Dans ce tableau, Matisse met plus l'accent sur le corps de la femme que sur ce qui l'entoure. Vêtu d'une culotte blanche bouffante retenue sur les hanches par une ceinture verte, le modèle est allongé sur la méridienne blanche aux contours sinueux, le dos calé contre les coussins sombres et géométriques. Ses jambes repliées laissent retomber le tissu sur ses cuisses et découvrir ses mollets. Ses cheveux sont enveloppés dans un foulard blanc moucheté de noir d'où s'échappent quelques mèches.
La position qu'elle adopte, bras levés, mains sur la tête, met en valeur ses seins aux formes arrondies. Seules les perles du collier viennent rompre la nudité de son buste. Le modelé du corps est accentué par les contours noirs et l'utilisation du rouge, plus particulièrement au niveau des côtes. On perçoit ici le désir du peintre de rendre le volume, qui peut être rapproché de ses recherches dans le domaine de la sculpture.

13. ***Petite Pianiste, robe bleue, fond rouge***

1924
Huile sur toile
22 x 30
Nice, musée Matisse

En 1916, avec *La Leçon de piano* (New York, The Museum of Modern Art), Matisse aborde le thème du pianiste, en représentant son fils cadet Pierre au clavier. Il reprend ce sujet l'année suivante avec le même personnage dans *La Leçon de musique* (Merion, The Barnes Foundation). Il y revient ensuite dans les années 1920 avec *La Leçon de piano, Henriette et ses frères*, 1923 (collection privée), *Pianiste et joueurs de dames*, 1924 (Washington, National Gallery of Art) ou encore *Pianiste et nature morte* (cat. 14). Cependant, dans les œuvres de la période niçoise, la joueuse de piano n'appartient plus au cercle familial, mais est une figurante professionnelle : Henriette, qui, par ailleurs, étudie le piano.
Dans *Petite Pianiste, robe bleue, fond rouge*, la jeune femme est représentée de profil, jouant, assise sur le coussin jaune d'une chaise. Les courbes qui dessinent son corps répondent aux arcades du paravent mauresque. Ainsi que le relève Xavier Girard, la couleur rouge, piquée de taches noires, blanches et jaunes, s'émancipe du fond « pour

teindre d'un reflet rouge les arêtes et les bords du piano, prenant ainsi en écharpe les teintes froides de la robe de la jeune fille et du vase placé au-dessus du piano » (cat. exp. Dijon, 1991, p. 60). Matisse adopte ici une texture épaisse qui se distingue de la touche transparente proche de l'aquarelle et caractéristique des tableaux peints dans la cité méditerranéenne.

14. ***Pianiste et nature morte***

1924
Huile sur toile
65 x 81,5
Berne, musée des Beaux-Arts

En 1890, Matisse débute sa carrière par la peinture d'une nature morte, *Livres et chandelles*. Il étudie longuement ce genre : « J'ai cru pendant quelques années que je ne peindrais que des natures mortes » (Aragon, 1971, t. 1, p. 143), et il y revient régulièrement dans les différentes périodes qui ponctuent son œuvre.

Ici, la nature morte figure sur une table, au premier plan, permettant ainsi une perception de l'espace et de la profondeur. Sur un plateau, Matisse a disposé des fruits (pêches, oranges, citrons, ananas), un bouquet dans un vase et un bibelot au décor fleuri. Deux fruits, citron et orange, se trouvent en dehors de la composition principale. Ces mêmes éléments sont reproduits, selon un schéma quasiment identique, dans un tableau de la même année, *Intérieur au phonographe*, aussi appelé *Nature morte au rideau levé* (collection particulière).

Au second plan est évoqué un thème que Matisse étudie largement pendant la période niçoise, celui de la pianiste. Une jeune femme, vêtue d'une robe noire rehaussée de bleu, joue du piano les deux mains posées sur le clavier, elle lit la partition. Un bouquet de fleurs est placé sur l'instrument, il se fond dans la grande tenture rouge au décor orientalisant.

Cette peinture représente un intérieur où tout nous invite à l'éveil des sens : l'ouïe par le son qui s'échappe du piano, l'odorat par la présence des fleurs, le goût par celle des fruits, la vue par l'harmonie des couleurs chaudes, le toucher par le contact avec le clavier...

15. ***Portrait de la baronne Gourgaud***

1924
Huile sur toile
81 x 65
Paris, Musée national d'art moderne

Par son mariage avec le baron Napoléon Gourgaud, Eva Gebhard, fille d'un banquier américain, devient la baronne Gourgaud. Le couple, passionné d'art moderne, consacre une partie de sa fortune à la constitution d'une importante collection, qui sera en partie léguée aux musées nationaux français en 1965 (Monod-Fontaine, Baldassari, Laugier, cat. MNAM, 1989, p. 72).

Les époux Gourgaud rencontrent Matisse probablement au début des années vingt, à la galerie Bernheim-Jeune, où le peintre est sous contrat. Des relations se tissent et commande est passée du portrait de la baronne. Fort d'expériences antérieures malheureuses dans l'approche de ce genre, Matisse accepte mais impose des conditions : d'une part, son modèle habituel, Henriette, doit figurer dans le tableau ; d'autre part, personne ne doit voir l'œuvre en cours de réalisation et, enfin, si le portrait ne plaît pas à la baronne, il le garde.
Comme l'évoque la vue marine au fond de la composition, l'œuvre est peinte à Nice. Eva Gourgaud est vêtue avec élégance mais sans ostentation ; elle porte une robe jouant sur les transparences et les tons bleutés ainsi que des bijoux, un collier de perles et un bracelet. Elle adopte une pose quelque peu figée, les mains croisées sur la table. Son visage au regard fixe semble comme divisé par l'ombre qui est présente sur sa partie gauche. Son chignon et sa nuque se réfléchissent dans le miroir comme en écho à la coiffure et au dos de sa compagne, de même que le motif fleuri de la nappe répond au bouquet situé dans la pièce du fond. Henriette est en pleine lecture, plusieurs ouvrages sont disposés sur la table, dont l'un, *Art et Décoration,* semble souligner l'état d'esprit avec lequel le peintre aborde le portrait : « Je peins rarement des portraits, et quand je le fais c'est toujours de façon décorative. Je ne puis les envisager autrement » (Fourcade, 1992, p. 176).

16. ***Intérieur à l'esclave***

1924
Huile sur toile
91,5 x 72,5
Nice, musée Matisse

Dès les débuts de son installation à Nice, Matisse s'inscrit à l'école des Arts décoratifs, où, écrit-il à son ami Camoin le 10 avril 1918, il essaie de mettre en lui « la conception claire et complexe de la construction de Michel-Ange » (Schneider, 1984, p. 524). Hormis *Laurent de Médicis* et *La Nuit*, sculptures autour desquelles il réalise un important travail, une autre statue de l'artiste italien l'intéresse : *L'Esclave enchaîné*. D'ailleurs, il en conserve un moulage jusqu'à la fin de ses jours dans son atelier-appartement de Cimiez (*ibid.,* p. 511). Cette œuvre a même inspiré le titre de ce tableau qui, laissé à l'état d'esquisse, se rapproche des dessins d'études de sculptures.
Dans cette composition, la statue, dont les dimensions réelles sont légèrement plus grandes, est disposée sur un tabouret. Le personnage masculin qu'elle représente occupe ainsi la place la plus souvent dévolue aux modèles féminins dans les œuvres de Matisse. Deux thèmes familiers de la période niçoise sont également présents dans cette œuvre dépouillée : la fenêtre qui laisse percevoir les feuilles d'un palmier et le vase de fleurs.
Le plâtre de *L'Esclave* apparaît aussi dans un tableau peint au début de l'année 1924, *Pianiste et joueurs de dames* (Washington, National Gallery of Art), mais, placé sur une commode, sa présence est décorative.

17. *Odalisque à la culotte rouge*

1924-1925
Huile sur toile
50 x 61
Paris, musée national de l'Orangerie

En 1889, Matisse, alors clerc d'avoué à Saint-Quentin, suit assidûment tous les matins, avant de se rendre au bureau, les cours de l'école de broderie sur tissu fondée par Quentin de La Tour. Il y développe son goût pour les étoffes, leurs matières, leurs coloris et leurs motifs. Cette passion est plus tard perceptible dans sa peinture. Ainsi, dans *Odalisque à la culotte rouge*, Matisse utilise comme décor deux grandes tentures, l'une de style rococo, l'autre couverte de grandes fleurs roses et de feuilles vertes. L'odalisque est étendue sur un sofa recouvert d'un tissu rouge aux rayures vertes et jaunes. Elle porte une tunique blanche qui accentue démesurément le volume de son bassin, et sa culotte mauresque rouge gonfle ses cuisses. Les broderies dorées de son pantalon, ses nombreux bijoux (collier, broche, bracelets, bagues) donnent un aspect luxueux à sa tenue.
Le bouquet posé sur le guéridon est comme happé par les vagues florales des étoffes. Fleurs réelles et fleurs décoratives se fondent en un même plan. En revanche, placé sur la table dans l'angle de la pièce, le bouquet de la nature morte, grâce à l'éclat blanc des pétales, se détache beaucoup plus du fond terne de la tapisserie. La richesse des motifs décoratifs envahit tout l'espace, embrassant objets et personnage dans une harmonie de couleurs qui réduit les effets de volume et de profondeur.
L'impression de foisonnement qui se dégage de ce tableau ne doit pas tromper, tout est ici nécessaire à son équilibre. Pour Matisse, « la composition est l'art d'arranger de manière décorative les divers éléments dont le peintre dispose pour exprimer ses sentiments. Dans un tableau, chaque partie sera visible et viendra jouer le rôle qui lui revient, principal ou secondaire. Tout ce qui n'a pas d'utilité dans un tableau est par là même nuisible. Une œuvre comporte une harmonie d'ensemble : tout détail superflu prendrait, dans l'esprit du spectateur, la place d'un autre détail essentiel » (Fourcade, 1992, p. 42).

18*. *Odalisque au coffret rouge*

1927
Huile sur toile
50 x 65
Nice, musée Matisse

L'*Odalisque au coffret rouge*, comparée à l'*Odalisque à la culotte rouge* (cat. 17) et à l'*Odalisque à la culotte grise* (cat. 19), paraît moins « noyée » dans le décor. Elle occupe un espace plus important dans la composition du tableau : allongée sur un matelas, elle s'étend sur toute la largeur. Le modelé du corps de la jeune femme est simplifié, son pied gauche, son bras droit et le sein que laisse paraître la large ouverture du brasero étant sommairement dessinés. L'arête du nez que prolonge la raie de la coiffure divise l'ovale de son visage en deux parties.

L'éclairage, semblable à la lumière de la rampe d'une scène de théâtre, projette l'ombre de l'odalisque sur l'étoffe rayée aux verticales vertes et jaunes. La profondeur est évoquée par le coussin sur lequel s'appuie la jeune femme mais le tissu relevé, aux rayures horizontales, la contredit. Trois objets sont disposés sur le sol formé par un tissu tacheté : un plat en faïence blanche contenant quelques fruits, un vase en étain et le coffret d'un rouge éclatant.
Lors de ses entretiens avec André Verdet, Matisse exprime ce qu'il souhaite atteindre dans ses compositions orientalistes : « Observez bien ces Odalisques : la clarté solaire y règne dans son flamboiement triomphal, s'appropriant couleurs et formes. Or, les décors orientaux des intérieurs, l'apparat des tentures et des tapis, les costumes luxuriants, la sensualité des chairs lourdes et assoupies, la torpeur béate des regards en attente de plaisir, tout ce faste de la sieste porté au maximum d'intensité de l'arabesque et de la couleur ne doit pas nous faire illusion : l'anecdote en soi, je l'ai toujours repoussée. Dans cette ambiance de relaxation alanguie et sous cette torpeur solaire qui baigne les choses et les êtres, une grande tension couve, qui est d'ordre spécifiquement pictural, tension qui provient du jeu et des rapports des éléments entre eux » (Verdet, 1978, p. 126).

19. ***Odalisque à la culotte grise***

1927
Huile sur toile
54 x 65
Paris, musée national de l'Orangerie

Des photographies de l'atelier de Matisse, place Charles-Félix, témoignent de la création par l'artiste d'une véritable petite scène de théâtre au moyen d'une estrade et de châssis démontables sur lesquels il dispose les tissus choisis pour ses fonds. Ce décor sert de structure à de nombreux tableaux tels que *Odalisque à la culotte grise*.
La richesse décorative de cette œuvre tient aux nombreux motifs et à la large gamme chromatique dominée par le rouge. La figure féminine est allongée sur un matelas vert constituant, avec la petite table, le seul plan horizontal de la composition. Celle-ci est en effet ordonnée par les verticales aux multiples nuances des tentures, des étoffes des coussins et du tissu qui recouvre l'estrade. Des éléments rappellent l'influence orientale : le brasero et la bande quadrillée assimilable au moucharabieh, balcon protégé par un grillage en bois pour voir sans être vu, évoquent le décor d'un harem.
Ce tableau présenté au Salon d'automne de 1927 est ainsi commenté par Jacques Guenne : « Soyez heureux, c'est ici la fête de la couleur. Ne cherchez pas trop à pénétrer le mystère. Pourquoi avec toutes ces raies bleues, rouges, violettes, jaunes, avec cette grande tenture rouge aux motifs gris, la petite toile de Matisse ne devient-elle pas le plus affreux étalage de marchands de papiers peints de quartier populeux, je l'ignore. Ou plutôt, je sais que cet artiste est comblé par la grâce de la couleur. Il a bien vite fait, croyez-moi, de réconcilier deux tons ennemis » (« Le XXe Salon d'automne », *L'Art vivant*, n° 69, 5 novembre 1927, p. 869).

« Vers la fin de la Première Guerre, je séjournais dans le Midi. Renoir était très âgé ; comme je l'admirais beaucoup, j'allai le voir dans sa maison de Cagnes, Les Collettes. Il me reçut cordialement et je lui présentai quelques-unes de mes toiles, pour connaître son opinion. »

Propos de Matisse à Picasso, rapportés par Françoise Gilot dans *Vivre avec Picasso*, Paris, Calman-Lévy, 1965, repris par Dominique Fourcade, *Henri Matisse : écrits et propos sur l'art*, Paris, Hermann, 1992, p. 123.

Matisse en visite chez Renoir, dans sa maison des Collettes à Cagnes-sur-Mer.
De gauche à droite : Henri Matisse, Halvorsen, Auguste Renoir, Pierre Renoir et Greta Prozor.
Photographie : archives Matisse.

Chronologie

établie à partir des ouvrages
cités dans la bibliographie

1917

Au début de l'année 1917, Matisse travaille à Issy-les-Moulineaux. En mai, il rencontre Monet à Giverny. À la fin du mois d'octobre, il entreprend un voyage dans le sud de la France qui le conduit à Marseille, Istres puis Nice.

Le 20 décembre, Matisse s'installe seul à Nice à l'hôtel Beau Rivage, 107, quai du Midi (quai des États-Unis). Il y réalise un *Autoportrait* (cat. 2). Le 31 décembre, il rend visite à Renoir dans sa maison des Collettes à Cagnes-sur-Mer.

1918

Fin janvier, Matisse rencontre de nouveau Renoir à Cagnes et lui présente des tableaux peints à Nice. Il le revoit le 18 avril et le 4 mai. Fin février, il loue un appartement vide 105, quai du Midi pour lui servir d'atelier, mais garde sa chambre à l'hôtel Beau Rivage. Cet immeuble étant réquisitionné par l'armée, il déménage le 9 mai et loue alors la villa des Alliés, 138, avenue du Mont-Boron. Il s'inscrit aux cours du soir de l'école des Arts décoratifs de Nice.

De fin juin à début novembre, Matisse retourne à Issy-les-Moulineaux (en septembre, il passe à Cherbourg voir son fils Pierre).

Le 11 novembre, il visite Antibes avec Bonnard, puis regagne Nice où il occupe une chambre (avec balcon) à l'hôtel de la Méditerranée et de la Côte d'Azur, 25, Promenade des Anglais. Il travaille avec Antoinette Arnoux, modèle de 18 ans.

1918

18 janvier - fin février : *Exhibition of Nineteenth and Twentieth Century French Art*, Oslo, Kunstnervorbundet. Texte de Matisse sur Renoir dans le catalogue.

23 janvier - 15 février : *Matisse Picasso*, galerie Paul Guillaume, Paris (Matisse : 15 toiles). Apollinaire organise l'exposition et rédige la préface du catalogue.

1919

Matisse séjourne à Nice jusqu'à l'été.

Le 9 mai, il écrit à Henri Laurens qu'il a rencontré le sculpteur Alexandre Archipenko, à Nice depuis 1914.

Mi-juin, il quitte la ville pour Issy-les-Moulineaux, où l'accompagne Antoinette. Il y reçoit la visite de Stravinsky et Diaghilev qui lui proposent de participer à la création du décor et des costumes du ballet *Le Chant du rossignol* (chorégraphie de Massine et musique de Stravinsky). Il se rend en octobre à Londres afin de travailler à ce projet.

Fin novembre, il retourne à Nice et loue une nouvelle chambre (sans balcon) à l'hôtel de la Méditerranée.

1919

2 - 16 mai : première exposition monographique consacrée à Matisse depuis 1913, organisée par Félix Fénéon, Paris, galerie Bernheim-Jeune (36 œuvres).

5 mai - 30 juin : participation à l'Exposition triennale d'art français à l'École des beaux-arts de Paris.

7 novembre - 6 décembre : *Exhibition of Paintings by Courbet, Manet, Degas, Renoir, Cézanne, Seurat, Matisse*, New York, The Zayas Gallery (Matisse : 6 tableaux).

1er novembre - 10 décembre : Salon d'automne, Paris, Grand Palais (Matisse : 7 œuvres).

Novembre - décembre : *Exhibition of Pictures by Matisse and Sculpture by Maillol*, Londres, Leicester Galleries (Matisse : 51 toiles, dont *Les Trois Sœurs*, cat. 1).

« C'est le milieu qui crée l'objet. C'est ainsi que j'ai travaillé toute ma vie devant les mêmes objets qui me donnaient la force de la réalité en engageant mon esprit vers tout ce que ces objets avaient traversé pour moi et avec moi. Un verre d'eau avec une fleur est une chose différente d'un verre d'eau avec un citron. L'objet est un acteur : un bon acteur peut jouer dans dix tableaux différents un rôle différent. »

Henri Matisse cité dans *xx*^{e} *siècle*, n° 2, janvier 1952, repris dans Dominique Fourcade, *Henri Matisse : écrits et propos sur l'art*, Paris, Hermann, 1992, p. 246.

Henri Matisse posant de manière humoristique dans son atelier 1, place Charles-Félix. Sur le chevalet, le tableau intitulé *Les Musiciennes*. Photographie : archives Matisse.

1920

En janvier, puis en juin, Matisse est à Londres pour la préparation du *Chant du rossignol*. Les premières ont lieu à l'Opéra de Paris le 2 février et à Covent Garden à Londres en juin.

Fin février, il revient à Nice et prend une troisième chambre (sans balcon) à l'hôtel de la Méditerranée.

Début juillet, il se rend à Étretat avec sa femme et sa fille Marguerite, puis rentre à Paris.

Fin septembre, il séjourne de nouveau à l'hôtel de la Méditerranée et loue une quatrième chambre (celle-ci avec balcon). Il travaille pour la première fois avec Henriette Darricarrère, son principal modèle jusqu'en 1928. Au printemps, en1921, 1922 et 1923, il loue à l'hôtel de la Méditerranée une chambre avec balcon et vue sur le quai à l'occasion de la fête des Fleurs.

1920

Janvier : publication de l'ouvrage *Henri Matisse* de Marcel Sembat, première monographie consacrée à l'artiste.

8 mai - 13 octobre : XIIe Biennale de Venise. Représenté dans le pavillon français organisé par Signac avec 2 toiles.

23 août : signe son quatrième contrat avec la galerie Bernheim-Jeune.

15 octobre - 6 novembre : *Exposition Henri Matisse*, Paris, galerie Bernheim-Jeune (58 œuvres, dont 53 de 1919-1920). Le catalogue est préfacé par Charles Vildrac.

Publication de deux ouvrages, *Cinquante Dessins par Henri Matisse*, préface de Charles Vildrac, et *Henri Matisse*, par Élie Faure, Jules Romains, Charles Vildrac, Léon Werth.

1921

Matisse reste dans le Sud jusqu'à l'été 1921. Au printemps, il peint notamment dans la vallée de la Loup, en compagnie de sa fille Marguerite et d'Henriette. Fin avril, il se rend à Monte-Carlo où il rencontre Prokofiev.

Il passe l'été à Étretat.

En septembre, Matisse revient à Nice. Il réside désormais dans un appartement au troisième étage, 1, place Charles-Félix.

1921

3 mai - 5 septembre : *Loan Exhibition of Impressionist and Post-Impressionist Paintings*, New York, The Metropolitan Museum of Art (Matisse : 6 tableaux).

1922

Matisse demeure à Nice jusqu'à la mi-juin.

Après un séjour à Aix-les-Bains, il revient à Paris (en famille). Il se fait photographier par Man Ray.

Il revient à Nice le 21 août.

1922

23 février - 15 mars : exposition annuelle, galerie Bernheim-Jeune (39 peintures exécutées à Nice en 1921, dont *L'Esclave blanche*, cat. 9).

Publication de *Nice 1921, seize reproductions d'après les tableaux de Henri Matisse*, éd. Bernheim-Jeune, textes de Charles Vildrac.

Achat par l'État d'*Odalisque à la culotte rouge* (1921) pour le musée du Luxembourg.

Mi - juin : *Intérieur aux aubergines* offert au musée de Grenoble.

Fin septembre : legs au musée de Grenoble de la collection Georgette Agutte-Marcel Sembat.

Décembre : publication de l'ouvrage de Roland Schacht, *Henri Matisse.*

1923

Matisse habite place Charles-Félix, à Nice, jusqu'à l'été.

Il se rend ensuite à Issy-les-Moulineaux.

En automne, il est de retour à Nice.

Il ne quitte la ville que pour assister au mariage de sa fille avec Georges Duthuit le 10 décembre à Paris, où le couple s'installe. Dès lors, Marguerite ne pose plus pour son père

1923

Janvier - février : exposition des œuvres de Matisse de la collection Barnes, à Paris, galerie Paul Guillaume, puis, du 11 avril au 9 mai, à Philadelphie, Pennsylvanie, à l'Academy of Fine Arts.

16 - 30 avril : exposition annuelle, galerie Bernheim-Jeune.

Parution de *Seize Tableaux de H. Matisse 1922-1923*, éd. Bernheim-Jeune.

Exposition d'œuvres d'art des XVIIIe, XIXe et XXe siècles, à la Chambre syndicale de la curiosité et des beaux-arts (*Femmes au canapé*, cat. 7).

25 août : Matisse renouvelle pour la dernière fois son contrat avec la galerie Bernheim-Jeune, pour trois ans.

« L'œuvre d'art est ainsi l'aboutissement d'un long travail d'élaboration. L'artiste puise autour de lui tout ce qui est capable d'alimenter sa vision intérieure, directement, lorsque l'objet qu'il dessine doit figurer dans sa composition, ou par analogie. Il se met ainsi en état de créer. Il s'enrichit intérieurement de toutes les formes dont il se rend maître, et qu'il ordonnera quelque jour selon un rythme nouveau. »

Propos recueillis par Régine Pernoud, *Le Courrier de l'U.N.E.S.C.O.*, vol. VI, n° 10, octobre 1953, repris dans Dominique Fourcade, *Henri Matisse : écrits et propos sur l'art*, Paris, Hermann, 1992, p. 322.

Amélie et Henri Matisse dans leur intérieur, vers 1929.
Photographie : archives Matisse.

20 - 31 octobre : exposition *Gravures d'Henri Matisse*, galerie Bernheim-Jeune.

1924

Matisse reste à Nice jusqu'à la mi-août.
Il passe le reste de l'été à Issy-les-Moulineaux.
Il retourne à l'automne place Charles-Félix.

1924

24 février - 22 mars : exposition de peintures de la collection John Quinn, New York, Joseph Brummer Galleries (Matisse : 14 tableaux).
6 - 20 mai : exposition annuelle, galerie Bernheim-Jeune (39 tableaux et des dessins).
Septembre - décembre : rétrospective Matisse, Copenhague, Ny Carlsberg Glyptotek (91 œuvres, dont l'*Autoportrait*, cat. 2). Cette exposition se tient ensuite à Stockholm, puis Oslo.
Décembre : son fils Pierre part à New York et organise des expositions, notamment d'œuvres de son père, pour les galeries Dudensing.
Décembre : exposition Matisse, New York, Fearon Galleries.
1er - 20 décembre : *Quelques Peintres du XXe siècle*, Paris, galerie Paul Rosenberg (Matisse : 4 peintures).

1925

Matisse travaille à Nice jusqu'à l'été.
Il part en Italie et en Sicile, en compagnie de sa femme et des époux Duthuit, puis rentre à Paris. Il est fait chevalier de la Légion d'honneur le 10 juillet.
À l'automne, il regagne Nice, où il réside désormais toute l'année, et ce jusqu'en 1930, ne quittant la ville que pour de courts séjours.

1925

28 avril - mi-octobre : tableaux de Matisse présentés au pavillon des éditions Bernheim-Jeune, à l'Exposition internationale des arts décoratifs et industriels modernes, à Paris.
15 septembre : publication de l'interview de l'artiste par Jacques Guenne, dans le magazine *L'Art vivant*, n° 18.
26 septembre - 2 novembre : Salon d'automne, Tuileries (1 œuvre).
13 - 28 novembre : exposition de peintures et dessins, Paris, galerie des Quatre Chemins. Publication de *Henri Matisse : dessins* de Waldemar George.

1926

Fin février, il rend visite au peintre Juan Gris à Toulon.
À partir de l'automne, il loue périodiquement l'appartement au-dessus du sien pour y travailler. Il s'y installe définitivement en 1928.

1926

Mars - avril : Salon des Indépendants, Palais de Bois, Paris.
Mai - juin : Salon des Tuileries (*Figure décorative sur fond ornemental*).
Juin - septembre : Exposition internationale, Dresde (Matisse, 12 toiles).
8 - 14 octobre : exposition de trois œuvres de Matisse, Paris, galerie Paul Guillaume rue La Boétie : *La Branche de lilas* (1914), *La Leçon de piano* (1916) et *Femme à la rivière* (1916). Conférence de Georges Duthuit lors du vernissage.
5 novembre - 19 décembre : Salon d'automne (*Odalisque au tambourin*).

1927

Matisse passe toute l'année à Nice.

1927

3 - 31 janvier : *Retrospective Exhibition of Henri Matisse*, New York, Valentine Gallery, puis, du 17 au 27 février, Chicago, Arts Club.
24 janvier - 4 février : *Henri Matisse - Dessins et lithographies*, galerie Bernheim-Jeune.
Juin : *Exhibition of Works by Henri Matisse*, Alex Reid and Lefevre Gallery, Londres (19 toiles, des pastels et des dessins).

« Ce que je rêve, c'est un art d'équilibre, de pureté, de tranquillité, sans sujet inquiétant ou préoccupant, qui soit, pour tout travailleur cérébral, pour l'homme d'affaires aussi bien que pour l'artiste des lettres, par exemple, un lénifiant, un calmant cérébral, quelque chose d'analogue à un bon fauteuil qui le délasse de ses fatigues physiques. »

Henri Matisse, *Notes d'un peintre sur son dessin,* repris dans Dominique Fourcade, *Henri Matisse : écrits et propos sur l'art,* Paris, Hermann, 1992, p. 50.

Vue du quatrième étage
de l'appartement de Matisse
au 1, place Charles-Félix.
Photographie : archives Matisse.

13 octobre - 4 décembre : Matisse reçoit le prix Carnegie pour sa participation à la *Twenty-Sixth International Exhibition of Paintings*, Pittsburgh, Carnegie Institute.
5 novembre - 18 décembre : Salon d'automne (*Odalisque à la culotte grise*, cat. 19).

1928
Au printemps, Amélie rejoint son époux. Henriette, le modèle de Matisse, se marie et quitte Nice.

1928
Juin - octobre : Matisse participe à la XVIe Biennale de Venise (14 peintures, 6 sculptures, 30 dessins et lithographies).
4 novembre - 16 décembre : Salon d'automne (*Nature morte au buffet vert*).

1929
Matisse reste à Nice.

1929
Publication de *Henri Matisse* de Florent Fels, Paris.
14 janvier : parution dans *L'Intransigeant* de l'article «Visite à Henri Matisse » de Tériade.
25 mai - 7 juin : exposition de la collection Paul Guillaume, galerie Bernheim-Jeune (17 œuvres de 1917-1929, dont *Les Trois Sœurs* [cat. 1], *Femme au divan* [cat. 3], *Le Nu rose* [cat. 5], *Le Boudoir* [cat. 6], *Femmes au canapé* [cat. 7], *Femme au violon* [cat. 10], *Odalisque bleue* [cat. 9], *Femme à la mandoline* [cat. 8], *Intérieur à Nice* [cat. 11], *Nu drapé étendu* [cat. 12], *Odalisque à la culotte rouge* [cat. 17] et *Odalisque à la culotte grise* [cat. 19]).
3 - 14 juin : *Quarante lithographies originales de Henri Matisse*, galerie Bernheim-Jeune.
9 décembre 1929 - 4 janvier 1930 : exposition monographique, New York, Valentine Gallery (17 œuvres réalisées entre 1927 et 1929).

1930
Matisse travaille jusqu'à la fin du mois de février à Nice.
Il part pour Paris, puis Le Havre, où il embarque le 27 février. Il accoste aux États-Unis le 4 mars, reprend le bateau de New York le 21 pour atteindre Tahiti le 29. En juin, il fait le trajet inverse.
Le 31 juillet, il est de retour à Nice.

1930
19 janvier - 16 février : *Painting in Paris, from American Collections*, New York, The Museum of Modern Art (Matisse : 16 toiles).
15 février - 19 mars : *Henri Matisse*, rétrospective, Berlin, galerie Thannhauser (256 œuvres, dont 33 peintures, 19 bronzes).
12 juin - fin juillet : *Exposition de peintures et de sculptures de Henri Matisse*, Paris, galerie Pierre.

1931
5 janvier - 7 février : *Sculptures by Henri Matisse,* New York, Brummer Gallery.
16 juin - 25 juillet : *Exposition organisée au profit de l'orphelinat des Arts,* Paris, galerie G. Petit (141 toiles, dont *Odalisque à la culotte rouge* [cat. 17], *Nu drapé étendu* [cat. 12], *Odalisque à la culotte grise* [cat. 19]). Numéro spécial des *Cahiers d'Art,* n° 5-6, à cette occasion. Même exposition à Bâle, 9 août - 15 septembre (111 tableaux, dont *Le Boudoir* [cat. 6], *Femme à la mandoline* [cat. 8]).
3 novembre - 6 décembre : *Henri Matisse*, rétrospective, New York, The Museum of Modern Art.

Bibliographie

Cette bibliographie ne saurait être exhaustive. Les travaux consacrés à Henri Matisse étant extrêmement nombreux, nous avons sélectionné les ouvrages qui sont le plus souvent mentionnés pour l'étude de la période niçoise.

Synthèses

• Louis Aragon, *Henri Matisse, roman*, 2 vol., Paris, Gallimard, 1971.

• Alfred H. Barr, *Matisse, His Art and His Public*, New York, The Museum of Modern Art, 1951.

• George Besson, *Matisse*, Paris, éditions Braun et Cie, 1954.

• Yve-Alain Bois, *Matisse et Picasso*, Paris, Flammarion, 1999.

• Pierre Courthion, *Henri Matisse*, Paris, Rieder, 1934.

• Pierre Courthion, *Le Visage de Matisse*, Lausanne, Marguerat, 1942.

• Pierre Daix, *Picasso et Matisse revisités*, Neuchâtel, Ides et Calendes, 2002.

• Gaston Diehl, *Henri Matisse*, Paris, Pierre Tisné, 1954.

• Georges Duthuit, *Écrits sur Matisse*, Paris, École nationale supérieure des beaux-arts, 1992.

• Raymond Escholier, *Matisse, ce vivant*, Paris, Fayard, 1956.

• Jack Flam, *Matisse, The Man and His Art, 1869-1918*, Londres, Thames and Hudson, 1986.

• Dominique Fourcade (sous la dir.), *Henri Matisse : écrits et propos sur l'art*, nouvelle édition revue et corrigée, Paris, Hermann, coll. « Savoir : sur l'art », 1992.

• Xavier Girard, *Matisse : une splendeur inouïe*, Paris, Gallimard, coll. « Découvertes », 1997.

• Rémi Labrusse, *Henri Matisse, la condition de l'image*, Paris, Gallimard, coll. « Art et Artistes », 1999.

• Gilles Néret, *Matisse*, Paris, Nouvelles éditions françaises, 1991.

• Marcelin Pleynet, *Henri Matisse*, Lyon, La Manufacture, coll. « Qui êtes-vous ? », 1988.

• Pierre Schneider, *Matisse*, Paris, Flammarion, 1984.

• Marcel Sembat, *Henri Matisse*, Paris, éditions de la Nouvelle Revue française, 1920.

• André Verdet, *Prestiges de Matisse*, Paris, éditions Émile Paul, 1952.

• André Verdet, *Entretiens, notes, et écrits sur la peinture : Braque, Léger, Matisse, Picasso*, Paris, Galilée, 1978.

Correspondances

• *Bonnard-Matisse, correspondance, 1925-1946*, Paris, Gallimard, coll. « Art et Artistes », 1991.

• *Correspondance entre Charles Camoin et Henri Matisse*, Paris, La Bibliothèque des arts, coll. « Pergamine », 1997.

Catalogues

• *Henri Matisse. Exposition du centenaire*, Paris, Grand Palais, 1970, cat. par Pierre Schneider, Tamara Préaud, Paris, Réunion des musées nationaux.

• *Matisse au Musée de Grenoble*, cat. par Dominique Fourcade, Grenoble, 1975.

• *Catalogue de la collection Jean Walter et Paul Guillaume, musée de l'Orangerie*, 1986, cat. par Michel Hoog, Paris, Réunion des musées nationaux, 1986.

• *Henri Matisse, The Early Years in Nice, 1916-1930*, Washington, National Gallery of Art, 1986, cat. par Jack Cowart et Dominique Fourcade.

• *Matisse, peintures et dessins du musée Pouchkine et du musée de l'Ermitage*, Lille, musée des Beaux-Arts, 1986, cat. par Hervé Oursel.

• *Matisse : œuvres de Henri Matisse. La collection du Musée national d'art moderne*, cat. par Isabelle Monod-Fontaine, Anne Baldassari, Claude Laugier, Paris, éditions du Centre Georges Pompidou, 1989.

• *Matisse in Morocco, The Paintings and Drawings 1912-1913,* Washington, National Gallery of Art, 18 mars - 3 juin 1990, New York, The Museum of Modern Art, 20 juin - 4 septembre 1990, Moscou, State Pushkin Museum of Fine Arts, 28 septembre - 20 novembre 1990, Leningrad, State Hermitage Museum, 15 décembre 1990 - 15 février 1991, cat. par Jack Cowart, Pierre Schneider, John Elderfield, Albert Kosténévitch, Laura Coyle, Washington, National Gallery of Art/New York, Thames and Hudson.

• *Les Chefs-d'œuvre du musée Matisse,* Dijon, musée des Beaux-Arts, 1991, cat. par Xavier Girard, Emmanuel Starcky, Hélène Meyer, Paris, Réunion des musées nationaux.

• *Dation Pierre Matisse,* Paris, Musée national d'art moderne, 1992, cat. par Dominique Bozo, Pierre Schneider, Paris, éditions du Centre Georges Pompidou.

• *Henri Matisse : a retrospective,* New York, The Museum of Modern Art, 24 septembre 1992 - 12 janvier 1993, cat. par John Elderfield, New York, Thames and Hudson.

• *Henri Matisse chez Bernheim-Jeune,* catalogue des expositions de la galerie établi par Guy-Patrice et Michel Dauberville, 2 vol., Paris, éditions Bernheim-Jeune, 1995.

• *Le Maroc de Matisse*, Paris, Institut du monde arabe, 19 octobre 1999 - 30 janvier 2000, cat. par Rémi Labrusse, Eugenia Guéorgievskaïa, Isabelle Monod-Fontaine, Pierre Schneider, Claude Duthuit, Christine Peltre, Albert Kosténévitch, Claudine Grammont, Paris, Institut du monde arabe/Gallimard.

• *Matisse Picasso*, Londres, Tate Modern, 11 mai - 18 août 2002, Paris, Galeries nationales du Grand Palais, 17 septembre 2002 - 6 janvier 2003, New York, The Museum of Modern Art, 13 février - 19 mai 2003, cat. par Anne Baldassari, Elizabeth Cowling, John Elderfield, John Golding, Isabelle Monod-Fontaine, Kirk Varnedoe, Londres, Tate Publishing/Paris, Réunion des musées nationaux/ Centre national d'art et de culture Georges Pompidou/Musée national d'art moderne/New York, The Museum of Modern Art.

Catalogues raisonnés publiés par les archives Matisse

• Marguerite Duthuit-Matisse, Claude Duthuit, avec la collaboration de Françoise Garnaud, *Henri Matisse, catalogue raisonné de l'œuvre gravé*, 2 vol., Paris, 1983.

• Claude Duthuit, avec la collaboration de Françoise Garnaud, *Henri Matisse, catalogue raisonné des ouvrages illustrés*, Paris, 1988.

• Claude Duthuit, avec la collaboration de Wanda de Guébriant, *Henri Matisse, catalogue raisonné de l'œuvre sculpté*, Paris, 1997.

Crédits photographiques

Bâle, Oeffentliche Kunstsammlung, photos Martin Bühler, p. 32-33, 67
Berne, Kunstmuseum, photos Peter Lauri, p. 54-55, 74
Le Cateau-Cambrésis, musée Matisse, photos Claude Gaspari, p. 31, 66
Nice, musée Matisse, photos F. Fernandez, p. 59, 75 ; photos du Service photographique de la Ville de Nice, p. 53, 62-63, 73, 76
Paris, archives Matisse, p. 26, 78, 80, 82, 84 ; photo Man Ray, p. 18
Paris, CNAC/MNAM Dist. RMN, p. 21, 25, 49, 57, 72, 74
Paris, Réunion des musées nationaux, p. 6, 15, 29, 36-37, 43, 51, 60-61, 66, 68, 70, 73, 76 ; photo P. Bernard, p. 23 ; photos C. Jean, p. 39, 41, 45, 47, 64-65, 69, 71, 77
Photo collection Cruz-Altounian, tirage Nicole Rousset, p. 8
Photo Laurent Lecat, p. 12
Saint-Tropez, musée de l'Annonciade, p. 34-35, 68

Publication du département de l'Édition, dirigé par Béatrice Foulon

Coordination éditoriale
Sophie Laporte

Relecture des textes
Claire Marchandise

Fabrication
Jacques Venelli
Hugues Charreyron

Conception graphique et maquette
Jean-Yves Cousseau
assisté de Bénédicte Sauvage

Photogravure
GEGM (Gentilly)

Cet ouvrage a été achevé d'imprimer en février 2003 sur les presses de l'imprimerie SIO à Fontenay-sous-Bois (France).
Le façonnage a été réalisé par SFR (Bourg-la-Reine).

Dépôt légal : février 2003
ISBN : 2-7118-4653-9
EK 39 4653